GEORGE ORWELL

HAYVAN ÇİFTLİĞİ
BİR PERİ MASALI

Can Modern

Hayvan Çiftliği, George Orwell
İngilizce aslından çeviren: Celâl Üster
Animal Farm
© 2001, Can Sanat Yayınları A.Ş.
İllüstrasyonlar: © Friedrich Karl Waechter
Tüm hakları saklıdır. Tanıtım için yapılacak kısa alıntılar dışında yayıncının
yazılı izni olmaksızın hiçbir yolla çoğaltılamaz.

1. basım: 2001
69. basım: Ekim 2021, İstanbul
Bu kitabın 69. baskısı 80 000 adet yapılmıştır.

Dizi editörü: Emrah Serdan
Editör: Seçkin Selvi

Kapak tasarımı: Utku Lomlu / Lom Creative (www.lom.com.tr)

Baskı ve cilt: Özkaracan Matbaacılık ve Ciltçilik San. ve Tic. Ltd. Şti.
Evren Mah. Gülbahar Cad. No: 62 Bağcılar / İstanbul
Sertifika No: 45469

ISBN 978-975-07-1938-7

CAN SANAT YAYINLARI
YAPIM VE DAĞITIM TİCARET VE SANAYİ A.Ş.
Maslak Mah. Eski Büyükdere Cad. İz Plaza, No: 9/25 Sarıyer/İstanbul
Telefon: (0212) 252 56 75 / 252 59 88 / 252 59 89 Faks: (0212) 252 72 33
canyayinlari.com
yayinevi@canyayinlari.com
Sertifika No: 43514

GEORGE ORWELL

HAYVAN ÇİFTLİĞİ

BİR PERİ MASALI

ROMAN

İngilizce aslından çeviren
Celâl Üster

George Orwell'in Can Yayınları'ndaki diğer kitapları:

Bin Dokuz Yüz Seksen Dört, 1984
Burma Günleri, 2004
Aspidistra, 2005
Paris ve Londra'da Beş Parasız, 2015
Boğulmamak İçin, 2015
Wigan İskelesi Yolu, 2016
Papazın Kızı, 2017
Bir İdam, 2021
Selam Olsun Katalonya'ya, 2021

GEORGE ORWELL, 1903'te Hindistan'ın Bengal eyaletinin Montihari kentinde doğdu. Ailesiyle birlikte İngiltere'ye döndükten sonra, öğrenimini Eton College'de tamamladı. Gerçek adı Eric Arthur olan Orwell, 1922-1927 yılları arasında Hindistan İmparatorluk Polisi olarak görev yaptı. Ancak imparatorluk yönetiminin içyüzünü görünce istifa etti. 1950'de yayımladığı *Shooting an Elephant* (Bir Fili Vurmak) adlı kitabı, sömürge memurlarının davranışlarını eleştiren makalelerin derlemesidir. İkinci Dünya Savaşı'nın sonlarına doğru yazdığı *Hayvan Çiftliği*, Stalin rejimine karşı sert bir taşlamadır. Orwell'in en çok tanınan yapıtlarından *Bin Dokuz Yüz Seksen Dört*, bilimkurgu türünün klasik örneklerinden biri olmanın yanı sıra, modern dünyayı protesto eden bir romandır. *Burma Günleri* ise, Orwell'in Burma'daki (bugünkü Myanmar) İngiliz sömürgeciliğini dile getirdiği ilk kitabıdır. Orwell 1950'de Londra'da öldü.

CELÂL ÜSTER, 1947'de İstanbul'da doğdu. İngiliz Erkek Lisesi, Robert Academy ve İstanbul Üniversitesi Edebiyat Fakültesi, İngiliz Dili ve Edebiyatı Bölümü'nde öğrenim gördü. İlk çevirileri *Yeni Dergi*'de yayımlandı. 1983'te George Thomson'ın *Tarihöncesi Ege* adlı yapıtının çevirisiyle *Yazko Çeviri* dergisinin Azra Erhat Ödülü'ne değer görüldü. Yaroslav Haşek'ten George Orwell'a, D.H. Lawrence'tan Iris Murdoch'a, Juan Rulfo'dan Jorge Luis Borges'e, Mario Vargas Llosa'dan John Berger'a Paulo Coelho'dan Roald Dahl'a pek çok yazarın yapıtlarını dilimize kazandırdı.

Birinci bölüm

Beylik Çiftlik'in sahibi Bay Jones, her gece yaptığı gibi kümesin kapısını örtmüş, ama çok sarhoş olduğu için tavukların girip çıktıkları delikleri kapatmayı unutmuştu. Avluda tökezlene tekerlene yürürken, elindeki fenerin ışığı da bir o yana bir bu yana yalpa vuruyordu. Arka kapıda botlarını çıkarıp attı, kilerdeki fıçıdan son bir bardak daha bira doldurup bir dikişte içti, sonra üst kata çıkıp yatak odasına girdi. Bayan Jones horul horul uyuyordu.

Yatak odasının ışığı söner sönmez, çiftliğin tüm binalarında bir patırtı, bir koşuşturmadır başladı. Gündüzden haber salınmıştı: Koca Reis dedikleri, bir zamanlar ödül kazanmış kır erkek domuz, bir gece önce gördüğü garip düşü tüm hayvanlara anlatmak istiyordu. Bay Jones ortalıktan çekilir çekilmez, herkesin büyük samanlıkta toplanması kararlaştırılmıştı. Koca Reis'e (yarışmaya Willingdon Güzeli adıyla katılmıştı, ama herkes ona Koca Reis diyordu) çiftlikte o kadar büyük bir saygı duyuluyordu ki, onun ne diyeceğini öğrenmek için herkes uykusundan olmaya razıydı.

Reis, büyük samanlığın bir köşesinde, tavandaki kirişlerden birinden sarkan bir fenerin aydınlattığı bir yükseltinin üzerine serili saman döşeğine kurulmuştu bile.

On iki yaşındaydı, son zamanlarda gövdesi biraz yağ bağlamıştı; uzun sivri köpekdişleri hiç kesilmemiş olmasına karşın, bilge ve babacan görünen heybetli bir domuzdu. Çok geçmeden öteki hayvanlar da birbiri ardı sıra sökün ettiler; yolu yordamınca yerlerini almaya başladılar. Önce Bluebell, Jessie ve Pincher adlı üç köpek göründü; ardından domuzlar geldiler, yükseltinin hemen önündeki samanların üzerine yerleştiler. Tavuklar pencere eşiklerine tünediler, güvercinler çatı kirişlerine kondular, koyunlarla inekler domuzların arkasına uzanıp geviş getirmeye koyuldular. Boxer ve Clover adlı iki araba atı içeri birlikte girdiler; samanların arasında göremeyecekleri kadar küçük bir hayvan bulunabileceği kaygısıyla ağır ağır yürüyor, kıllı, kocaman ayaklarını yere usulca basıyorlardı. Clover, orta yaşlı sayılabilecek, iriyarı, anaç bir kısraktı; dördüncü tayını doğurduktan sonra eski endamını bir türlü bulamamıştı. Boxer ise neredeyse iki metre yüksekliğinde, iki beygir gücünde, çok iri bir hayvandı. Alnından burnunun üstüne doğru inen akıtma onu biraz ahmak gösteriyordu; gerçekten de çiftlikteki hayvanların en zekisi sayılmazdı, ama sağlam kişiliği ve akıllara durgunluk veren çalışkanlığıyla herkesin saygısını kazanmıştı. Atların ardından, beyaz keçi Muriel ile Benjamin adlı eşek göründüler. Benjamin, çiftliğin en yaşlı, en huysuz hayvanıydı. Ağzından bal damladığı söylenemezdi, ama az söyler, öz söylerdi: "Tanrı bana sinekleri kovayım diye bir kuyruk vermiş; ama keşke sinekler de olmasaydı, kuyruğum da." Çiftlikteki hayvanlar arasında bir tek o hiç gülmezdi. Neden gülmediğini soranlara, "Gülünecek ne var ki?" diye karşılık verirdi. Ama, açıkça belli etmemesine karşın, Boxer'a hayrandı; ikisi pazar günlerini birlikte geçirir, genellikle meyve bahçesinin arkasındaki çayırda hiç konuşmadan yan yana otlarlardı.

İki at henüz yere uzanmışlardı ki, annelerini yitirmiş yavru ördekler ciyak ciyak bağırarak birerlekol halinde samanlığa girdiler; paytak paytak koşturuyor, ayaklar altında ezilmeyecekleri bir yer aranıyorlardı. Clover, kocaman ön ayağıyla ördek yavrularının çevresine bir duvar ördü; onlar da oraya sığınıp birbirlerine sokuldular ve o saat uykuya daldılar. Son anda, Bay Jones'un iki tekerlekli arabasını çeken saçı uzun aklı kısa, beyaz kısrak Mollie çıkageldi; ağzında kesmeşekeri, süzüm süzüm süzülerek içeri girdi. Kendine önlerde bir yer seçti; bakışları üzerinde toplamak umuduyla kırmızı kurdelelerle örülü beyaz yelesini iki yana sallamaya başladı. Son olarak da kedi göründü; huyu kurusun, hemen en sıcak yeri aranmaya başladı, sonunda Boxer ile Clover'ın arasına sığıştı; Koca Reis'in söylevinin sonuna kadar –söylediklerinin bir tekine bile kulak vermeden– keyifli keyifli mırlayıp durdu.

Arka kapının oradaki tünekte uyuyan evcil kuzgun Moses'ı saymazsak, hayvanların tümü gelmişti artık. Reis, baktı ki herkes yerini almış suspus bekliyor, gırtlağını temizleyip konuşmaya başladı:

"Yoldaşlar, dün gece garip bir düş gördüğümü hepiniz biliyorsunuz. Düşe sonra geleceğim. Size daha önce başka bir şey söylemek istiyorum. Yoldaşlar, fazla bir ömrüm kaldığını sanmıyorum. Onun için, bugüne kadar edindiğim bilgileri, deneyimleri sizlere aktarmayı görev biliyorum. Çok uzun yaşadım, ağılımda bir başıma yatarken düşünecek çok zamanım oldu; bu dünyanın düzenini, yaşamakta olan her hayvan kadar kavradığımı söyleyebilirim. Bugün sizlerle konuşmak istediğim de bu işte.

"Evet yoldaşlar, yaşadığımız hayat nasıl bir hayattır? Açıkça söylemekten korkmayalım: Şu kısa ömrümüz yoksulluk içinde, sabahtan akşama kadar uğraşıp didin-

mekle geçip gidiyor. Dünyaya geldikten sonra yaşama-mıza yetecek kadar yiyecek verirler; ayakta kalanlarımızı canı çıkana kadar çalıştırırlar; işlerine yaramaz duruma geldiğimizde de korkunç bir acımasızlıkla boğazlarlar. İngiltere'de, bir yaşına geldikten sonra, hiçbir hayvan mutluluk nedir bilmez, hiçbir hayvan dinlenip eğlene-mez. İngiltere'de hiçbir hayvan özgür değildir. Hayatımız sefillikten, kölelikten başka nedir ki! İşte, tüm çıplaklı-ğıyla gerçek budur.

"Peki, bu durum, Doğa'nın bir yasası mıdır? Ülke-miz, topraklarında yaşayanlara düzgün bir hayat suna-mayacak kadar yoksul mudur? Hayır, yoldaşlar, asla! İn-giltere toprakları bereketlidir; havası suyu iyidir yurdu-muzun; bugün bu ülkede yaşayan hayvanlardan çok da-ha fazlasına bol bol yiyecek sağlayabilir. Yalnızca şu bi-zim çiftlik bile bir düzine atı, yirmi ineği, yüzlerce koyu-nu besleyebilir; besleyebilir ne demek, onlara bugün bi-zim hayal bile edemeyeceğimiz kadar rahat ve onurlu bir hayat yaşatabilir. Öyleyse, bu sefilliğe neden boyun eğelim? İnsanlar, emeğimizle ürettiklerimizin neredeyse tümünü bizden çalıyorlar. İşte, yoldaşlar, tüm sorunları-mızın yanıtı burada. Tek bir sözcükte özetlenebilir: İn-san. Tek gerçek düşmanımız İnsan'dır. İnsan'ı ortadan kal-dırın, açlığın ve köle gibi çalışmanın temelindeki neden de sonsuza dek silinecektir yeryüzünden.

"İnsan, üretmeden tüketen tek yaratıktır. Süt ver-mez, yumurta yumurtlamaz, sabanı çekecek gücü yok-tur, tavşan yakalayacak kadar hızlı koşamaz. Gene de, tüm hayvanların efendisidir. Hayvanları çalıştırır, karşılı-ğında onlara açlıktan ölmeyecekleri kadar yiyecek verir, geri kalanını kendine ayırır. Bizse emeğimizle tarlayı sü-rer, gübremizle toprağı besleriz; oysa hiçbirimizin pos-tundan başka bir şeyi yoktur. Siz, şu karşımda oturan inekler; bu yıl kaç bin litre süt verdiniz? Güçlü kuvvetli danalar yetiştirmek için gerekli olan sütleriniz nereye gitti? Her bir damlası düşmanlarımızın midesine indi. Siz, tavuklar; bu yıl kaç yumurta yumurtladınız, o yumurtaların kaçından civciv çıkarabildiniz? Tümüne yakını pazarda satıldı, Jones ve adamlarına para kazandırdı. Ve sen, Clover, doğurduğun o dört tay nerede; yaşlandığında sırtını dayayacağın, keyfini süreceğin o taylar nerede? Dördü de bir yaşına geldiklerinde satıldı; onları bir daha hiç göremeyeceksin. İnsanlara verdiğin o dört tay ve tarlalardaki emeğinin karşılığında bir avuç yem ve soğuk bir ahırdan başka ne gördün?

"Kaldı ki, yaşadığımız şu sefil hayatın doğal sonuna varmasına bile izin vermezler. Ben gene talihli sayılırım, onun için pek o kadar yakınmıyorum. On iki yaşındayım, dört yüzden fazla çocuğum oldu. Bir domuz için çok doğal. Ama hiçbir hayvan sonunda o gaddar bıçaktan kaçamaz. Siz, karşımda oturan genç domuzlar; bir yıla kalmaz, bıçağın altında ciyaklaya ciyaklaya can verirsiniz. İnekler, domuzlar, tavuklar, koyunlar; bu korkunç son hepimizi bekliyor, hepimizi. Atların ve köpeklerin yazgısı da bizimkinden farklı sayılmaz. Sen, Boxer, şu koca kasların gücünü yitirmeyegörsün, Jones o saat, sakat ve kocamış atları alan kasaba satar seni. Kasap da gırtlağını keser, kazanda kaynatıp av köpeklerine mama yapar. Köpeklere gelince; yaşlanıp dişleri dökülmeyegörsün, Jones boyunlarına bir taş bağlar, en yakın göle atar.

"Öyleyse, yoldaşlar, bu hayatta başımıza gelen tüm kötülüklerin insanların zorbalığından kaynaklandığı gün gibi açık değil mi? Şu İnsanoğlu'ndan kurtulalım, emeğimizin ürünü bizim olsun. İşte o zaman zengin ve özgür olacağız. Öyleyse, ne yapmalı? Gece gündüz, var gücümüzle insan soyunu alt etmeye çalışmalı! İşte, söylüyorum yoldaşlar: Ayaklanın! Bu Ayaklanma ne zaman gerçekleşir bilemem, bir haftaya kadar da olabilir, yüz yıla kadar da; ama şu ayaklarımın altındaki samanı gördüğüm gibi görüyorum: Hak er geç yerini bulacaktır. Yoldaşlar, şu kısa ömrünüzde bunu aklınızdan çıkarmayın! Ve en önemlisi, bu öğüdümü sizden sonra gelenlere iletin ki, gelecek kuşaklar zafere kadar savaşsın.

"Ve yoldaşlar, kararlılığınız asla, ama asla sarsılmasın. Hiçbir tartışma sizi yolunuzdan saptırmasın. İnsan ile hayvanların ortak bir çıkarı vardır, birinin dirliği öbürlerinin de dirliğidir, diyenler çıkabilir. Onlara sakın kulak asmayın. Hepsi yalan. İnsanoğlu, kendinden başka hiçbir yaratığın çıkarını gözetmez. Bu savaşımımızda hayvanlar arasında tam bir birlik kurun, kusursuz bir yoldaşlık sağlayın. Bütün insanlar düşmandır! Bütün hayvanlar yoldaştır!"

Tam o sırada müthiş bir gürültü koptu. Koca Reis konuşurken, deliklerinden dışarı süzülen dört iri sıçan, arka ayaklarının üzerine oturmuş, onu dinlemeye koyulmuşlardı. Köpekler, onları görür görmez saldırıya geçmişler; sıçanlar çarçabuk deliklerine kaçarak canlarını zor kurtarmışlardı. Reis, ön ayağını kaldırarak herkesi susturdu:

"Yoldaşlar. Çözmemiz gereken bir sorun var. Sıçanlar ve tavşanlar gibi yabanıl hayvanlar, dostumuz mu, düşmanımız mı? Oylamaya koyalım. Şu soruyu soruyorum: Sıçanlar yoldaşımız mıdır?"

Hemen oylamaya geçildi; çok büyük bir çoğunlukla sıçanların yoldaş olduklarına karar verildi. Yalnızca dört karşı oy çıkmış, onlar da üç köpekle kediden gelmişti. Sonradan, kedinin hem evet, hem de hayır oyu kullandığı anlaşıldı. Koca Reis, sözünü sürdürdü:

"Daha fazla bir şey söyleyecek değilim. Yalnız tekrarlamak istediğim bir nokta var: İnsan'a ve onun başının altından çıkan tüm uğursuzluklara karşı düşmanca davranmanın göreviniz olduğunu hiçbir zaman akıldan çıkarmayın. İki ayaklılar düşmanımızdır. Dört ayaklılar ve kanatlılar dostumuzdur. Şunu da unutmayın ki, İnsan'a karşı savaşırken sonunda ona benzememeliyiz. Onu alt ettiğiniz zaman bile, onun kötü alışkanlıklarını benimsemeye kalkmayın. Hiçbir hayvan asla bir evde yaşamamalı, yatakta yatmamalı, giysi giymemeli, içki ve sigara içmemeli, paraya el sürmemeli, ticaretle uğraşmamalı. İnsan'ın bütün alışkanlıkları kötüdür. Ve en önemlisi, hiçbir hayvan kendi türünden olanlara zorbalık etmemeli. Güçlüsü güçsüzü, akıllısı akılsızı, hepimiz kardeşiz. Hiçbir hayvan başka bir hayvanı öldürmemeli. Bütün hayvanlar eşittir.

"Yoldaşlar, artık dün gece gördüğüm düşten söz edebilirim. Tam olarak anlatmam mümkün değil, ama İnsan ortadan kalktıktan sonra yeryüzünün nasıl bir yer olacağını gördüm diyebilirim. Çoktandır unutmuş olduğum bir şeyi anımsadım. Yıllar önce, ben küçük bir domuzken, annem ve öteki dişi domuzlar, yalnızca ezgisini ve ilk üç sözcüğünü bildikleri eski bir şarkı söylerlerdi. Şarkının ezgisini çocukken öğrenmiştim, ama nicedir aklımdan çıkmıştı. Dün gece düşümde geri geldi şarkının ezgisi. Dahası, şarkının sözlerini de anımsadım. Hiç kuşkum yok, hayvanların çok eski çağlarda söyledikleri, kuşaklardır unutulmuş olan şarkının sözleriydi bunlar. Şimdi, yoldaşlar, size bu şarkıyı söyleyeceğim. Yaşlıyım, sesim kısık, ama ezgisini öğrettiğim zaman siz şarkıyı çok daha güzel söyleyebilirsiniz. Şarkının adı, *İngiltere'nin Hayvanları*."

Koca Reis, gırtlağını temizleyip şarkıya başladı. Gerçekten de kısıktı sesi, ama hiç de fena söylemiyordu. Şarkının coşkulu bir ezgisi vardı, *Clementine* ile *La Cucuracha* arası bir şarkıydı. Sözleri şöyleydi:

İngiltere ve İrlanda'nın hayvanları,
Bütün ülkelerin, bütün iklimlerin hayvanları,
Kulak verin müjdelerin en güzeline,
Düşlediğimiz Altın Çağ önümüzde.

Er geç bir gün gelecek,
Zorba İnsan devrilecek,
İngiltere'nin bereketli topraklarında
Yalnızca hayvanlar gezinecek.

Burnumuza geçirilen halkalar,
Sırtımıza vurulan semer sökülüp atılacak,
Karnımıza saplanan mahmuz çürüyüp paslanacak,
Acımasız kırbaç bir daha şaklamayacak.

Zenginlikler düşlere sığmayacak,
Buğdayı arpası, yulafı samanı,
Yoncası, baklası, pancarı,
O gün hepsi bizim olacak.

İngiltere'nin çayırları daha yeşil,
Irmakları daha aydınlık olacak,
Rüzgârlar daha tatlı esecek,
Biz özgürlüğümüze kavuşunca.

O günü göremeden ölüp gitsek de,
Herkes bu uğurda savaşmalı,
İneklerle atlar, kazlarla hindiler el ele,
Özgürlük uğruna ter akıtmalı.

İngiltere ve İrlanda'nın hayvanları,
Bütün ülkelerin, bütün iklimlerin hayvanları,
Kulak verin müjdeme, haber salın her yere,
Düşlediğimiz Altın Çağ önümüzde.

Şarkı, hayvanların yüreğine yabanıl bir coşku salmıştı. Reis daha sonuna gelmeden, hep birlikte söylemeye başlamışlardı. En aptalları bile şarkının ezgisini ve birkaç sözünü kapmıştı; domuzlar ve köpekler gibi akıllı olanlarıysa şarkının tümünü birkaç dakikada ezberlemişti. Birkaç denemeden sonra, hep bir ağızdan söyledikleri *İngiltere'nin Hayvanları* ile inledi çiftlik. İnekler böğürüyor, köpekler havlıyor, koyunlar meliyor, atlar kişniyor, ördekler vaklıyordu. O kadar hoşlarına gitmişti ki, şarkıyı baştan sona tam beş kez söylediler; Bay Jones uyanmasa, belki de sabaha kadar söyleyeceklerdi.

Ama ne yazık ki, Bay Jones gürültüden uyandı; avluya tilki girdiğini sanarak yatağından fırladı. Her zaman yatak odasının köşesinde duran tüfeğini kaptığı gibi karanlığa saçma yağdırdı. İri saçmalar samanlığın duvarına saplanır saplanmaz, toplantıdaki hayvanlar çil yavrusu gibi dağıldılar. Herkes yattığı yere koştu. Kuşlar tüneklerine sıçradılar, hayvanlar saman döşeklerine uzandılar. Çok geçmeden bütün çiftlik uykuya daldı.

İkinci bölüm

Koca Reis, üç gece sonra, uykusunda huzur içinde öldü. Meyve bahçesinin kıyısında bir yere gömdüler. Reis öldüğünde mart ayının ilk günleriydi. Bunu izleyen üç ay boyunca bir sürü gizli etkinlik yürütüldü. Reis'in konuşması, çiftliğin daha akıllı hayvanlarının hayata yepyeni bir gözle bakmalarını sağlamıştı. Öngördüğü Ayaklanma'nın ne zaman meydana geleceğini bilen yoktu; böyle bir başkaldırıyı görebilecek kadar yaşayıp yaşamayacaklarını da bilmiyorlardı; ama görevlerinin o güne hazırlamak olduğunu açık seçik görebiliyorlardı. Ötekileri eğitme ve örgütleme işi, doğal olarak, genellikle hayvanların en zekileri diye bilinen domuzlara verildi. Domuzların en yeteneklileri, Bay Jones'un satmak için yetiştirdiği, Snowball ve Napoleon adlı iki genç erkek domuzdu. Napoleon, irikıyım, sert bakışlı bir Berkshire domuzuydu; daha doğrusu, çiftlikteki tek Berkshire'dı. Pek konuşkan sayılmazdı, ama istediğini söke söke almayı bilen biri olarak tanınırdı. Snowball, Napoleon'dan daha canlı, daha hayat dolu bir domuzdu; hem ağzı daha iyi laf yapardı, hem de daha yaratıcıydı; ama kişiliğinin Napoleon kadar sağlam olmadığı söylenirdi. Çiftliğin erkek domuzlarının hepsi de besi domuzuydu. İçlerinde en ünlüsü, tombalak Squealer, yanakları yusyuvarlak,

22

gözlerini sürekli kırpıştıran, şirret sesli, yerinde durama-yan bir hayvandı. Parlak bir konuşmacıydı; zorlu bir ko-nuyu tartışırken bir o yana bir bu yana sıçrar, kuyruğunu hızlı hızlı oynatırdı; nedendir bilinmez, bu hareketleri çok inandırıcı olmasını sağlardı. Squealer için, "Karayı ak yapar," derlerdi.

Bu üçü, Koca Reis'in düşüncelerini geliştirerek dört dörtlük bir öğretiye dönüştürmüşler, adına da "Anima-lizm" demişlerdi. Haftanın birkaç gecesi, Bay Jones uyu-duktan sonra, samanlıkta gizli toplantılar düzenliyor, Hay-vancılığın temel ilkelerini öbür hayvanlara anlatıyorlardı. İlk başlarda, büyük bir ahmaklık ve vurdumduymazlıkla karşılaşmışlardı. Bazı hayvanlar, "Efendimiz" dedikleri Bay Jones'a bağlılığın bir görev olduğundan dem vuru-yorlar; bazıları da, "Bay Jones bizi besliyor. O olmasa, açlıktan ölürüz," gibisinden salakça laflar ediyorlardı. Ki-mileri, "Biz öldükten sonra olacakların bize ne yararı do-kunur ki?" ya da "Madem bu Ayaklanma nasıl olsa ger-çekleşecek, bu uğurda çalışmışız çalışmamışız ne fark eder?" gibi sorular soruyorlardı. Domuzlar, bu tür ko-nuşmaların Hayvancılığın ruhuna aykırı olduğunu kav-ratana kadar akla karayı seçiyorlardı. Soruların en ah-makçası ak kısrak Mollie'den gelmişti; Mollie'nin Snow-ball'a sorduğu ilk soru, "Ayaklanma'dan sonra da şeker bulabilecek miyiz?" olmuştu.

Snowball, "Hayır," diye kesip atmıştı. "Bu çiftlikte şeker meker üretemeyiz. Kaldı ki, şeker gerekmeyecek. Dilediğin kadar yulaf ve saman yiyebileceksin."

Bu kez, "Peki, yeleme gene kurdele takabilecek mi-yim?" diye sormuştu Mollie.

Snowball, "Bak, yoldaş," demişti. "Senin onsuz ede-mediğin kurdele, köleliğin simgesidir. Özgürlüğün kurde-lelerden çok daha değerli olduğunu kafan almıyor mu?"

Mollie, "Kabul," derken pek inanmış görünmüyordu.

23

Domuzlar, evcil kuzgun Moses'ın yaydığı yalanların önünü almak için daha da zorlu bir savaşım vermek zorunda kaldılar. Bay Jones'un gözdesi olan Moses, gammazın, dedikoducunun tekiydi, ama ağzı iyi laf yapardı. Gene bir masal uydurmuştu: Sözümona, Balbadem Diyarı denen gizemli bir ülke vardı, bütün hayvanlar öldükleri zaman oraya gidiyorlardı. Moses'a bakılırsa bu ülke gökyüzünde bir yerde, bulutların az ötesindeydi. Balbadem Diyarı'nda her gün pazardı; dört mevsim yonca biter, ağaçlar ve çalılar, kesmeşeker ve keten tohumu küspesinden geçilmezdi. Gerçi hayvanlar, gününü masal anlatmakla geçirdiği ve hiç çalışmadığı için Moses'dan nefret ediyorlardı; ama gene de, Balbadem Diyarı masalına inananlar çıkmadı değil. Domuzlar, onları böyle bir yer olmadığına inandırabilmek için az dil dökmediler.

En sadık tilmizleri, iki araba atı, Boxer ile Clover'dı. Kendi başlarına düşünmekte epeyce zorlanan bu iki at, domuzları öğretmen belledikten sonra onların her dediğini tartışmasız benimsemiş ve olduğu gibi öteki hayvanlara aktarmışlardı. Samanlıktaki gizli toplantıları hiç kaçırmıyor; her toplantının bitiminde söylenen *İngiltere' nin Hayvanları* şarkısında başı çekiyorlardı.

Derken, Ayaklanma, umulandan çok daha erken, herkesin beklediğinden çok daha kolay gerçekleşti. Bay Jones, hayvanlara çok sert davranmasına karşın becerikli bir çiftçiydi, ama son zamanlarda işleri bozulmuştu. Hele bir davada para kaptırınca umudunu iyiden iyiye yitirmiş, sağlığını bozacak ölçüde içkiye vermişti kendini. Bazen günlerce mutfaktaki koltuğunda aylak aylak oturuyor, gazete okuyup içkisini içiyor, arada sırada biraya batırdığı ekmek parçalarıyla Moses'ı besliyordu. Yanında çalışanlar tembel ve sahtekârdı; tarlaları ayrıkotları bürümüştü; binaların damlarının onarılması gerekiyordu; çitler bakımsızdı; hayvanlar doğru dürüst beslenmiyordu.

Haziran gelmişti, otlar biçilmeye neredeyse hazırdı. Bay Jones, bir cumartesi gününe denk düşen yaz gündönümünden hemen önce Willingdon'a gidip Kırmızı Aslan meyhanesinde körkütük sarhoş olunca, çiftliğe ancak pazar günü öğle saatlerinde dönebildi. İşçiler sabah erkenden inekleri sağmışlar, hayvanların yemini vermeden tavşan avlamaya gitmişlerdi. Bay Jones, eve döner dönmez, oturma odasındaki kanepeye uzanmış, *News of the World* gazetesine göz atarken uyuyakalmıştı. Hava karardığında hâlâ aç olan hayvanlar sonunda dayanamadılar. İneklerden biri boynuzuyla ambarın kapısını kırdı; içeri dalan hayvanlar yem kovalarından karınlarını doyurmaya koyuldular. Tam o sırada uyanıveren Bay Jones, dört işçisini de yanına alıp ambara koştu; hep birlikte hayvanları kırbaçlamaya başladılar. Bu da, hayvanların sabrını taşıran son damla oldu. Önceden hiçbir şey tasarlamamalarına karşın, topluca zorbaların üstüne atıldılar. Jones'la işçilerine dört bir yandan tos vurup çifte atıyorlardı. Hayvanları daha önce hiç böyle görmemiş olan adamlar ne yapacaklarını şaşırmışlar; o güne değin diledikleri gibi sopa atıp eziyet ettikleri hayvanların bu umulmadık başkaldırısı karşısında dehşete kapılmışlardı. Baktılar olacak gibi değil, korunmaya çabalamayı bırakıp tabanları yağladılar. Patikadan aşağı anayola doğru yel yepelek koştururlarken, hayvanlar da zafer çığlıkları atarak onları kovalıyorlardı.

Bayan Jones, yatak odasının penceresinden olup biteni görmüştü. Birkaç parça eşyayı topladığı gibi bir heybeye tıkıştırıp, çiftliğin arka yolundan savuşuverdi. Moses da, tüneğinden sıçradı, kanat çırpıp avazı çıktığı kadar bağırarak kadının ardına takıldı. Bu arada, hayvanlar, Jones ile adamlarını yola kadar kovalamışlar, beş kol demiri bulunan çiftlik kapısını arkalarından hızla çarpıp kapatmışlardı. Böylece, daha ne olduğunu anlamalarına

kalmadan, Ayaklanma başarıyla sonuçlanmış, Jones çiftlikten kovulmuş, Beylik Çiftlik onlara kalmıştı.

Hayvanlar, talihlerinin böylesine yolunda gittiğine bir süre inanamadılar. Önce, köşede bucakta saklanmış bir insan olup olmadığını anlamak için, bir araya toplanıp çiftliği çepeçevre dolaştılar. Sonra, çiftlik binalarına koşup Jones'un uğursuz saltanatının son izlerini de yok etmeye koyuldular. Ahırların bitimindeki, koşum takımlarının durduğu odanın kapısı kırıldı; gemler, burun halkaları, köpek zincirleri, Bay Jones'un domuzları ve kuzuları iğdiş ederken kullandığı kıyıcı bıçaklar kuyunun dibini boyladı. Dizginler, yularlar, meşin göz siperleri, onur kırıcı yem torbaları, avluda çöplerin yakıldığı ateşe atıldı. Kamçılar da. Kamçıların alevlere karıştığını gören bütün hayvanlar sevinç içinde hoplayıp zıplıyorlardı. Snowball, pazara gidildiği günlerde atların yelelerini ve kuyruklarını süsleyen kurdeleleri de ateşe attı.

"Giysi, İnsanoğlu'nu çağrıştırır," dedi. "Kurdele de giysiden sayılır. Tüm hayvanlar çıplak dolaşmalıdır."

Snowball'un bu sözleri üzerine, Boxer da, yazın kulaklarını sineklerden korumak için kafasına geçirdiği küçük hasır şapkayı kaptığı gibi ateşe attı.

Kısa bir süre sonra hayvanlar, kendilerine Bay Jones'u anımsatan ne varsa yok etmiş bulunuyorlardı. Napoleon, hepsini yeniden ambara götürdü, herkese ikişer tayın mısır, köpeklere de ikişer peksimet dağıttı. Ardından, *İngiltere'nin Hayvanları* şarkısını baştan sona tam yedi kez söylediler; gece inerken herkes kendi köşesine çekilip uykuya daldı. Dünyaya geleli beri hiç bu kadar rahat bir uyku çekmemişlerdi.

Ama her zamanki gibi şafak vakti uyanıp da bir gün önce gerçekleştirdikleri görkemli başkaldırıyı anımsar anımsamaz, hep birlikte çayıra koştular. Çayırın biraz aşağısında, çiftliğin büyük bir bölümünü gören küçük bir tepe vardı. Hemen tepeye tırmandılar, sabahın duru ışığında çevreyi seyre daldılar. Evet, burası onlarındı artık; göz görebildiğince önlerinde uzanan her şey onlarındı! Bu düşünceyle kendilerinden geçerek hoplayıp zıplamaya, büyük bir coşkuyla havalara sıçramaya başladılar. Çiy düşmüş çimenlerin üzerinde yuvarlanıyor, tatlı yaz otlarını koparıp yutuyor, kara toprağı eşeleyip havaya savuruyor, toprağın güzelim kokusunu içlerine çekiyorlardı. Sonra, çiftliği baştan başa dolaşıp denetimden geçirdiler; tarlayı, otlağı, meyve bahçesini, gölcüğü, koruyu dilleri tutulmuşçasına, hayran hayran izlemekten alamadılar kendilerini. Sanki buraları daha önce hiç görmemişlerdi; bütün bunların artık kendilerinin olduğuna hâlâ inanamıyorlardı.

Daha sonra, sıra olup çiftlik binalarına döndüler; çiftlik evinin kapısının önüne geldiklerinde, soluklarını tutup durdular. Bu ev de onlarındı artık, ama içeri girmeye korkuyorlardı. Derken, Snowball ile Napoleon'un kapıyı omuzlayıp kırmasıyla, hayvanlar birerlekol halinde içeri girdiler. Ortalığı altüst etmemek için attıkları adımlara büyük özen gösteriyorlar; parmaklarının ucuna basarak odadan odaya geçerken, seslerinin duyulacağından korkuyormuşçasına fısıldaşarak konuşuyorlar; içerideki görkeme, kuştüyü şilteli yataklara, aynalara, at kılından dokunmuş kumaş kaplı sedire, Brüksel halısına, Kraliçe Victoria'nın oturma odasındaki şömine rafının üstünde duran taşbaskı portresine biraz gözleri kamaşarak, biraz da korka korka bakıyorlardı. Tam merdivenlerden inerlerken, Mollie'nin ortalıkta olmadığını fark ettiler. Birkaçı yukarı seğirtip odaları tek tek yoklamaya başladı. Evin en şık yatak odasının kapısını açtıklarında bir de ne görsünler! Mollie, Bayan Jones'un tuvalet masasından aldığı anlaşılan mavi bir kurdeleyi omzuna tutmuş, ahmakça bir hayranlıkla aynada kendini seyretmiyor mu!

Mollie'yi fena halde azarlayıp evden çıktılar. Mutfakta asılı duran jambonlar götürülüp gömüldü, bir de kilerdeki bira fıçısı Boxer'ın bir çiftesiyle parçalandı, o kadar; evde başka hiçbir şeye dokunulmadı. Hemen oracıkta, oybirliğiyle bir karar alındı: Çiftlik evi, müze olarak korunacaktı. Aralarında en küçük bir düşünce ayrılığı yoktu: Bu evde hiçbir hayvan yaşamamalıydı.

Snowball ile Napoleon, kahvaltıdan sonra hayvanları yeniden toplantıya çağırdı.

"Yoldaşlar," dedi Snowball. "Saat daha altı buçuk, uzun bir gün bizi bekliyor. Bugün otları biçmeye başlıyoruz. Ama daha önce halledilecek bir işimiz var."

Sonunda anlaşıldı ki iki domuz, çöpler arasında Bay Jones'un çocuklarının bir okuma kitabını bulmuş, son üç ay boyunca bu kitaptan okuma yazma öğrenmişlerdi. Napoleon, siyah ve beyaz boya kutularını getirtti, hayvanların başına geçerek onları anayola açılan çiftlik kapısının oraya götürdü. Snowball da (en iyi yazı yazan oydu) fırçayı iki toynağının arasına geçirip kapının en üstteki kol demirine yazılı BEYLİK ÇİFTLİK adını karaladı, yerine HAYVAN ÇİFTLİĞİ yazdı. Çiftlik artık bu adla anılacaktı. Daha sonra, çiftlik binalarına geri dönüldü; Snowball ile Napoleon bir merdiven getirtip büyük samanlığın duvarına dayadılar. Domuzlar, üç aydır sürdürdükleri çalışmalar sonucunda, Hayvancılığın temel ilkelerini yedi emirde toplamayı başarmışlardı. Şimdi bu yedi emir duvara yazılacak, Hayvan Çiftliği'ndeki tüm hayvanlar bundan böyle hayatlarının sonuna dek bu değişmez yasalara uyacaklardı. Snowball merdivene güçbela tırmandı (bir domuzun merdiven üzerinde dengesini bulması hiç de kolay değildir) ve işe koyuldu; Squealer da birkaç basamak aşağıda boya kutusunu tutuyordu. Yedi emir, katran kaplı duvara, yirmi otuz metreden okunabilen iri beyaz harflerle yazıldı:

YEDİ EMİR

1. İki ayak üstünde yürüyen herkesi düşman bileceksin.

2. Dört ayak üstünde yürüyen ya da kanatları olan herkesi dost bileceksin.

3. Hiçbir hayvan giysi giymeyecek.

4. Hiçbir hayvan yatakta yatmayacak.

5. Hiçbir hayvan içki içmeyecek.

6. Hiçbir hayvan başka bir hayvanı öldürmeyecek.

7. Bütün hayvanlar eşittir.

Emirler büyük bir özenle yazılmıştı; "dost"un "tost" diye, s'lerden birinin de ters yazılmış olması dışında, hiçbir yazım yanlışı yoktu. Snowball, herkes anlasın diye, emirleri baştan sona yüksek sesle okudu. Hayvanların hepsi de kafalarını sallayarak emirler karşısında boyunlarının kıldan ince olduğunu belirttiler. En akıllı olanlarıysa hemen ezberlemeye başladı.

Snowball, boya fırçasını yere atıp "Haydi yoldaşlar!" diye bağırdı. "Doğru tarlaya! Harmanı, Jones ve adamlarından daha çabuk kaldırmanın onurunu yaşayalım."

Ama tam o sırada, bir süredir gergin görünen üç inek böğürmeye başladı. Sütleri yirmi dört saattir sağılmamış olduğundan memeleri patladı patlayacaktı. Domuzlar, biraz düşündükten sonra kovaları getirttiler, ön ayakları bu işe yatkın olduğu için ustalıkla sağdılar inekleri. Çok geçmeden kovalar köpüklü kaymaklı sütle dolmuştu; hayvanların birçoğu sütlere ağızları sulanarak bakıyorlardı.

İçlerinden biri, "Bu kadar süt ne olacak?" diye soracak oldu.

"Jones bazen yemimize süt katardı," dedi tavuklardan biri.

Bunun üzerine, Napoleon, kovaların önüne geçerek,

"Sütü kafanıza takmayın, yoldaşlar!" diye bağırdı. "Gereği yapılır, merak etmeyin. Hasat daha önemli. Snowball Yoldaş başı çekecek. Ben de birazdan geliyorum. İleri, yoldaşlar! Hasat bizi bekler."

Hayvanlar sürü halinde tarlaya varıp hasadı kaldırmaya koyuldular. Akşam geri döndüklerinde, sütlerin ortadan kaybolmuş olduğunu fark edeceklerdi.

Üçüncü bölüm

Hasadı kaldırana kadar ırgatlar gibi çalıştılar, baştan ayağa tere battılar! Ama emekleri boşa gitmemişti, hasat umduklarından da bereketliydi.

Zaman zaman analarından emdikleri süt burunlarından geldi; aletler hayvanlara göre değil, insanlara göre yapılmıştı; arka ayaklarının üzerine kalkmalarını gerektiren aletleri kullanamamaları çok büyük bir zorluk çıkarıyordu. Ama domuzlar o kadar akıllıydılar ki, her güçlüğün üstesinden gelmenin bir yolunu buluyorlardı. Atlara gelince; onlar tarlayı karış karış biliyorlar, ekinlerin biçilip toplanması işinden Jones ile adamlarından çok daha iyi anlıyorlardı. Domuzlar, doğrudan çalışmıyorlar, öbürlerini yönetiyor ve denetliyorlardı. Üstün bilgileriyle, önderliği üstlenmeleri doğaldı. Boxer ile Clover, kendilerini atla çekilen tarağa koşuyor (kuşkusuz, artık gem ve dizgin kullanılmıyordu), tarlanın çevresinde ağır ağır dönenip duruyorlar; arkalarından gelen domuz da ikide bir, "Deh, yoldaş!" ya da "Çüş, yoldaş!" diye sesleniyordu. Ekinlerin biçilip toplanmasında en irisinden en ufağına bütün hayvanlar çalışıyorlardı. Ördeklerle tavuklar bile, sabahtan akşama kadar güneşin altında oradan oraya koşuşturuyor, gagalarıyla birer tutam da olsa ot taşıyorlardı. Sonunda, hasadı, Jones ile adamlarının kaldırdığından iki gün kadar daha kısa bir sürede kaldırdılar. Dahası, çiftliğin o güne kadar gördüğü en büyük hasattı bu. Üstelik, hiçbir şey boşa harcanmamış, keskin gözlü tavuklar ve ördekler en küçük ot saplarına kadar her şeyi toplamışlardı. Çiftlik hayvanlarının bir teki bile hırsızlığa yeltenmemişti.

O yaz çiftlikte işler yolundaydı. Hayvanlar asla hayal edemeyecekleri kadar mutluydular. Artık, pinti sahiplerinin gıdım gıdım verdiği yeme muhtaç değildiler; kendileri tarafından ve kendileri için üretilen, tümüyle kendilerinin olan yiyecekleri yiyorlardı ya, her lokmadan büyük bir tat alıyorlardı. Ciğeri beş para etmez, asalak insanlar yok olup gittikleri için, herkese daha çok yiyecek düşüyordu. Deneyimden yoksun olmalarına karşın, daha çok boş vakit bulabiliyorlardı. Birçok güçlükle karşılaşıyorlardı; örneğin, mevsim ilerleyip de hasat zamanı geldiğinde, çiftlikte harman makinesi bulunmadığından, başakları eski çağlardaki gibi ayaklarıyla ezmek, kabuklarını da üfleyerek havaya savurmak zorunda kalmışlardı; ama domuzların zekâsı ve Boxer'ın güçlü kaslarıyla her türlü zorluğun üstesinden gelebiliyorlardı. Boxer'a herkes hayrandı. Jones'un zamanında da yorulmak nedir bilmeyen bir hayvan olan Boxer, şimdi neredeyse üç beygir gücünde çalışıyordu; öyle günler oluyordu ki, çiftliğin işleri tümden onun güçlü omuzlarına yıkılıyordu. İşin en ağır olduğu yerde her zaman o vardı; sabahtan akşama kadar dur durak bilmeden uğraş veriyordu. Kendisini sabahları ötekilerden yarım saat önce uyandırması için genç horozlardan biriyle anlaşmıştı; gündelik işler başlayana kadar, en çok gerek duyulan yere koşuyor, orada gönüllü olarak çalışıyordu. Çalışmayı kendisine yasa edinmişti sanki: Bir sorun, bir terslik çıkmayagörsün, o saat, "Daha da sıkı çalışacağım!" deyip işe koyuluyordu.

38

Aslında, herkes kendi gücü ve yeteneğine göre iyi çalışıyordu. Sözgelimi, tavuklar ve ördekler, ortalığa saçılmış tahıl tanelerini toplayarak neredeyse yirmi kile ekini kurtarmışlardı. Hiç kimse çalıp çırpmıyor, hiç kimse kendisine ayrılan tayın konusunda homurdanıp söylenmiyordu; bir zamanlar çiftlikteki hayatın olağan özelliklerinden sayılan kavgalar, ısırmalar, kıskançlıklar neredeyse tümüyle ortadan kalkmıştı. Kimse işten kaçmıyordu, bir kişi dışında. Evet, Mollie'nin sabahları erken kalkamamak gibi bir sorunu vardı; üstelik, ikide bir, toynağına giren bir taşı bahane ederek işi erken bıraktığı da oluyordu. Doğrusu, kedi de bir tuhaftı. Bir süre sonra, yapılacak bir iş çıktığında hiçbir zaman ortalıkta görünmediği anlaşılmıştı. Saatlerce ortadan kayboluyor, ama yemek vakti geldiğinde ya da akşamüstü işler sona erdiğinde hiçbir şey olmamışçasına ortaya çıkıyordu. Ama her seferinde öyle güzel bahaneler uyduruyor, öylesine sevecen mırlıyordu ki, herkesi iyi niyetine inandırmayı başarıyordu. Yaşlı eşek Benjamin, Ayaklanma'dan bu yana hiç değişmemiş gibiydi. Tıpkı Bay Jones'un zamanında olduğu gibi, gene uyuşuk ve dik kafalıydı; ne işten kaytarıyordu, ne de fazla çalışmaya gönül veriyordu. Ayaklanma ve sonuçları konusunda en küçük bir görüş belirtmiyordu. Jones çiftlikten gittikten sonra daha mutlu olup olmadığı sorulduğunda, "Eşekler uzun yaşar. Hiç ölmüş bir eşek gördünüz mü hayatınızda?" demekle yetiniyor, herkesi bu belirsiz yanıtla yetinmek zorunda bırakıyordu.

Pazarları çalışılmıyordu. Her günkünden bir saat geç yapılan kahvaltıdan sonra, her pazar mutlaka göndere bayrak çekilmesiyle başlayan bir tören düzenleniyordu. Snowball, koşum takımlarının durduğu odada, Bayan Jones'un eski bir masa örtüsünü bulmuş, yeşil örtünün üzerine beyaz boyayla bir toynak ve bir de boynuz

39

resmi yapmıştı. Bayrak pazar sabahları çiftlik evinin bahçesindeki göndere çekiliyordu. Snowball'un açıklamasına göre, bayrağın yeşil zemini İngiltere'nin yemyeşil çayırlarını temsil ediyor, toynak ile boynuz ise insan soyu bir daha geri gelmemek üzere ortadan kaldırıldığında doğacak olan, geleceğin Hayvan Cumhuriyeti'ni simgeliyordu. Bayrağın göndere çekilmesinden sonra, tüm hayvanlar büyük samanlığa doluşarak, Toplantı denilen genel kurula katılıyorlardı. Toplantıda, bir sonraki haftanın işleri konuşuluyor, alınacak kararlar tartışılıyordu. Alınması gereken kararlar her zaman domuzlar tarafından ortaya atılıyordu. Öteki hayvanlar nasıl oy verileceğini biliyorlar, ama kendi başlarına bir karara varamıyorlardı. Toplantıların en ateşli tartışmacıları, Snowball ile Napoleon'du. Ama bu ikisi asla anlaşamıyorlardı: Birinin ak dediğine öbürü mutlaka kara diyordu. Kimsenin karşı çıkamayacağı bir karara varıldığında bile, birbirlerine girmenin bir yolunu buluyorlardı. Örneğin, meyve bahçesinin arka tarafındaki çayırın artık çalışamaz durumda olan hayvanların dinlenme yeri olarak belirlenmesi kararlaştırıldıktan sonra, farklı türden hayvanların emeklilik yaşlarının ne olması gerektiği konusunda kapışmışlardı. Her toplantının sonunda mutlaka *İngiltere'nin Hayvanları* şarkısı söyleniyor, öğleden sonraları ise eğlenceye ayrılıyordu.

Domuzlar, koşum takımlarının durduğu odayı karargâh edinmişlerdi. Akşamları burada, çiftlik evinden getirmiş oldukları kitaplardan nalbantlık, marangozluk gibi gerekli uğraşları okuyup öğreniyorlardı. Snowball, ayrıca, öteki hayvanların Hayvan Kurulları'nda örgütlenmesiyle de uğraşmakta, bu iş için bıkmadan usanmadan çaba harcamaktaydı. Okuma yazma sınıflarının yanı sıra, tavuklar için Yumurta Üretim Kurulu, inekler için Temiz Kuyruklar Birliği, sıçanlar ve tavşanların evcilleştirilmesi için Yabanıl Yoldaşların Yeniden Eğitimi Kurulu'nu kurmuş, koyunlar için de Daha Beyaz Yün Hareketi'ni oluşturmuştu. Bu atılımların çoğu bir sonuca varamadı. Sözgelimi, yabanıl hayvanları evcilleştirme girişimi daha başından başarısızlığa uğradı. Yabanıl hayvanlar eskisi gibi davranmayı sürdürüyorlar, kendilerine gösterilen hoşgörüyü hemen kötüye kullanıyorlardı. Kedi, Yeniden Eğitim Kurulu'na katılmış ve bir süre canla başla çalışmıştı. Bir gün bir de bakmışlardı, damda oturmuş, erişemeyeceği uzaklıktaki serçelerle konuşuyor; onlara, artık bütün hayvanların yoldaş olduğunu, dilerlerse hiç çekinmeden gelip pençesine konabileceklerini anlatıyordu. Ama serçeler, kedinin yanına bile yaklaşmamışlardı.

Öte yandan, okuma yazma sınıfları çok başarılı olmuştu. Güz geldiğinde, çiftlikteki hemen her hayvan az çok okuma yazma biliyordu.

Domuzların okuma yazması kusursuzdu. Köpekler, okumayı çok iyi öğrenmişlerdi, gel gör ki Yedi Emir'den başka bir şey okudukları yoktu. Keçi Muriel'in okuması köpeklerden de iyiydi; bazı akşamlar, çöplükte bulduğu gazete parçalarını getirip öbür hayvanlara okuyordu. Domuzlar kadar iyi okuyabilen Benjamin'in ise, bu yeteneğini kullandığı pek görülmemişti. "Ben okumaya değer bir şey göremiyorum," diyordu. Clover, alfabeyi baştan sona öğrenmişti, ama sözcükleri sökemiyordu. Boxer'a gelince, o D'den ileri gidememişti. Koca ayağıyla toprağın üzerine A, B, C, D harflerini yazıyor, sonra kulaklarını arkaya yatırıp yelesini sallayarak harflere aval aval bakıyor, D'den sonra gelen harfi çıkarmaya çabalıyor, ama bir türlü beceremiyordu. Birkaç kez E, F, G, H'yi de öğrenmiş, ama öğrenir öğrenmez bu kez A, B, C, D'yi unuttuğunu fark etmiş, en sonunda alfabenin ilk dört harfiyle yetinmeye karar vermişti; unutmamak için bu dört harfi her gün bir iki kez yazıyordu. Mollie ise, adındaki altı harften başka tek bir harf öğrenmemekte diretiyordu. İnce dalları yan yana getirerek adını yazıyor, dalları birkaç çiçekle süslüyor, sonra da hayran hayran çevresinde dolanıyordu.

Çiftlikteki öteki hayvanların hiçbiri A harfinden öteye geçememiş; koyun, tavuk ve ördek gibi en ahmak hayvanların Yedi Emir'i bir türlü ezberleyemedikleri görülmüştü. Bu sorunun çözümüne epey kafa yoran Snowball, sonunda, Yedi Emir'in aslında tek bir özdeyişe indirgenebileceğini açıkladı. Yedi Emir, bal gibi, "dört ayak iyi, iki ayak kötü" özdeyişine indirgenebilirdi. Snowball'a bakılırsa, bu özdeyiş, hayvancılığın temel ilkesini içeriyordu. Bu temel ilkeyi iyice kavramış olan herkes insanoğlunun zararlı etkilerinden korunabilirdi. Kuşlar, ilk başta, kendilerinin de iki ayaklı oldukları gerekçesiyle bu özdeyişe karşı çıkacak oldular; ama Snowball yanıldıklarını kanıtlamakta gecikmedi.

"Yoldaşlar," dedi. "Kuşun kanadı, iş görmek için değil, devinmek için kullanılan bir organdır. Dolayısıyla, kanat, ayak olarak kabul edilmelidir. İnsanoğlu'nun farklılığı, bütün şeytanlıkları yaptığı alet olan el'dedir."

Kuşlar, Snowball'un sözlerinden hiçbir şey anlamamalarına karşın, yaptığı açıklamayı kabullendiler. Tüm hayvancıklar, yeni özdeyişi ezberlemeye koyuldular. Ambarın duvarına, Yedi Emir'in yukarısına, üstelik daha büyük harflerle DÖRT AYAK İYİ, İKİ AYAK KÖTÜ yazıldı. Koyunlar, bu sözleri ezberledikten sonra özdeyişi o kadar sevdiler ki, çayırda uzanıp keyif çatarlarken hep birlikte, "Dört ayak iyi, iki ayak kötü! Dört ayak iyi, iki ayak kötü!" diye bıkmadan saatler boyu melemeyi alışkanlık haline getirdiler.

Napoleon, Snowball'un kurullarıyla hiç ilgilenmemişti. Gençleri eğitmenin, yetişkinler için yapılabilecek herhangi bir şeyden çok daha önemli olduğu kanısındaydı. Jessie ile Bluebell, hasattan hemen sonra yavrulamışlar, dokuz sağlıklı yavru dünyaya getirmişlerdi. Yavrular sütten kesilir kesilmez, Napoleon, eğitimlerini kendisinin üstleneceğini söyleyerek onları analarından ayırmıştı. Sonra da, yavruları, sadece koşum takımlarının durduğu odadaki bir merdivenden çıkılabilen tavan arasına kapatmış, öylesine gözlerden ırak tutmuştu ki, öteki hayvanlar bir süre sonra varlıklarını bile unutmuşlardı.

Sütlerin nereye gittiği çok geçmeden anlaşıldı. Sütler her gün domuzların lapasına karıştırılıyordu. Elmalar artık olgunlaşmaya yüz tutmuşlardı; meyve bahçesinin çimenleri rüzgârla dökülen elmalarla kaplıydı. Hayvanlar, doğal olarak, elmaların eşit bir biçimde paylaşılacağını umuyorlardı; oysa bir gün ağaçlardan dökülen tüm elmaların toplanması ve koşum takımlarının durduğu odaya getirilerek domuzlara teslim edilmesi buyuruldu. Bazı hayvanlar homurdandıysa da bir yararı olmadı. Bütün domuzlar, Snowball ile Napoleon bile bu konuda aynı düşüncedeydiler.

Öteki hayvanlara gerekli açıklamaları yapmakla görevlendirilen Squealer, "Yoldaşlar!" diye haykırdı. "Umarım, biz domuzların bunu bencilliğimizden, ayrıcalık düşkünlüğümüzden yaptığını sanmıyorsunuzdur. Aslında çoğumuz süt ve elmadan hoşlanmayız. Ben de hoşlanmam. Bu elmalara el koymamızın tek bir amacı var, o da sağlığımızı korumak. Sütte ve elmada domuzların sağlığı açısından kesinlikle gerekli olan bazı maddeler var. Bilim bunu kanıtlamıştır, yoldaşlar. Biz domuzlar düşün emekçisiyiz. Bu çiftliğin tüm yönetim ve düzeninden biz sorumluyuz. Gecemizi gündüzümüze katarak, sizin sağlığınızı koruyoruz. Bu sütleri sizin uğrunuza içiyor, bu elmaları sizin uğrunuza yiyoruz. Biz domuzlar görevimizi gereğince yerine getiremezsek ne olur, biliyor musunuz? Jones geri gelir! Evet, Jones geri gelir! Bundan en küçük bir kuşkunuz olmasın, yoldaşlar." Sonra da, oradan oraya sıçrayıp kuyruğunu oynatarak bağırdı: "Aranızda Jones'un geri gelmesini isteyen tek bir hayvan yoktur sanırım!"

Hayvanların en küçük bir kuşku duymadıkları tek bir şey varsa, o da Jones'un geri dönmesini istemedikleriydi. Domuzları sağlıklı tutmanın önemi çok açıktı. Böylece, tartışma büyümeden, bütün sütün ve rüzgârla ağaçlardan dökülen elmaların (doğaldır ki, olgunlaştıkları zaman ağaçlardan toplanan elmaların da) hepsinin domuzlara ayrılması herkesçe kabul edildi.

Dördüncü bölüm

Hayvan Çiftliği'nde olup bitenleri, yaz sonlarına doğru neredeyse bütün ülke duymuş bulunuyordu. Snowball ile Napoleon'un her gün uçurdukları posta güvercinleri, komşu çiftliklerdeki hayvanlarla dostluk kuruyor, onlara Ayaklanma'nın öyküsünü anlatıyor, *İngiltere'nin Hayvanları* şarkısını öğretiyorlardı.

Bu arada, Bay Jones, zamanının büyük bölümünü Willingdon'daki Kırmızı Aslan meyhanesinde pinekleyerek geçiriyor; kendisini dinleyecek birilerini bulmayagörsün, hemen yakınmaya başlıyor, korkunç bir haksızlığa uğradığını, bir avuç aşağılık hayvan tarafından çiftliğinden kovulduğunu anlatıyordu. Öteki çiftçiler onu anlayışla karşılamışlar, ama başlangıçta yardım etmeye de pek yanaşmamışlardı. Her biri, Jones'un uğradığı talihsizlikten nasıl yararlanabileceğini düşünüyordu içten içe. Neyse ki, Hayvan Çiftliği'ne komşu iki çiftliğin sahipleri birbirleriyle hiç geçinemezlerdi. Foxwood, büyük, bakımsız, köhne bir çiftlikti; dört bir yanını çalılar bürümüş, otlakları sararıp solmuş, çitleri paramparça olmuştu. Foxwood'un sahibi Bay Pilkington, zamanının büyük bölümünü balık mevsiminde balık tutarak, av mevsiminde ava çıkarak geçirirdi; rahatına düşkün, efendi bir adamdı. Pinchfield Çiftliği ise daha küçük, ama daha bakımlıydı. Pinchfield'ın sahibi Bay Frederick, kabadayı ve kurnaz bir adamdı; ikide bir mahkemelik olurdu; dini imanı paraydı, elini veren kolunu alamazdı. Bu ikisi birbirlerinden öylesine nefret ederlerdi ki, kendi çıkarlarına olan bir konuda bile anlaşamazlardı.

Ne var ki, ikisi de Hayvan Çiftliği'ndeki Ayaklanma' dan çok korkmuştu; kendi çiftliklerindeki hayvanların ayaklanma konusunda ayrıntılı bilgi edinmelerini önlemek için ellerinden geleni yapıyorlardı. Aslına bakılırsa, başlangıçta, hayvanların bir çiftliği kendi başlarına yönetebileceğine çok gülmüşler; çok değil, on on beş güne kadar bu iş nasıl olsa yatar, diye düşünmüşlerdi. Beylik Çiftlik'teki (çiftlikten Beylik Çiftlik diye söz etmekte diretiyorlar, "Hayvan Çiftliği" adına katlanamıyorlardı) hayvanların birbirleriyle durmadan dalaştıkları, pek yakında açlıktan ölecekleri söylentisini yaymışlardı. Ama bir süre sonra hayvanların açlıktan ölmedikleri ortaya çıkınca, ağız değiştirdiler, Hayvan Çiftliği'ndeki akıllara durgunluk veren şeytanlıklardan dem vurmaya başladılar. Bu iki çiftçiye bakılırsa, Hayvan Çiftliği'nde yamyamlık almış yürümüştü; hayvanlar kızgın nallarla birbirlerine işkence yapıyorlar, dişilerini de ortaklaşa kullanıyorlardı. Frederick ile Pilkington, bütün bunların, Doğa yasalarına başkaldırmanın doğal sonucu olduğunu söylüyorlardı.

Ama bu hikâyeler hiç kimseye inandırıcı gelmiyordu. Hayvanların, insanları kovarak kendi işlerini kendileri gördükleri olağanüstü bir çiftlikten söz ediliyor, bu konudaki söylentiler olanca belirsizliğiyle ve çarpıtılarak sürüyordu. Çevredeki çiftliklerde yıl boyunca bir başkaldırı dalgası yükseldi. Yumuşak başlı bilinen boğalar ansızın azıyor, koyunlar çitleri yıkıp yoncaları mideye indiriyor, inekler kovaları tepip deviriyor, atlar buyruk dinlemiyor, birden durarak üstlerindekileri parmaklıkların üzerinden öbür tarafa fırlatıyorlardı. En önemlisi, *İngilte-*

re'nin *Hayvanları* şarkısının ezgisi ve sözleri artık her yerde biliniyordu. Umulmadık bir hızla yayılmıştı. İnsanlar, çok gülünç bulduklarını söylemekle birlikte, bu şarkıyı duyduklarında büyük bir öfkeye kapılmaktan kendilerini alamıyorlardı. Böylesine rezil ve saçma bir şarkının hayvanlar tarafından söylenebilmesini bile akıllarının almadığını ileri sürüyorlardı. Şarkıyı söylerken yakalanan hayvanlar oracıkta kırbaçlanıyor, gene de şarkının yayılması engellenemiyordu. Karatavuklar çalılıkların arasında ıslık çalarken, güvercinler ağaçlarda ötüşürken hep bu şarkıyı söylüyorlar; şarkının ezgileri, demircilerin çekiç vuruşlarına, kiliselerin çan seslerine karışıyordu.

Ekim başlarıydı; ekinler biçilip istiflenmiş, harman büyük ölçüde kaldırılmıştı. Bir gün birden posta güvercinleri hızla dolanarak geldiler, telaşla çırpınarak Hayvan Çiftliği'nin avlusuna kondular. Getirdikleri habere bakılırsa, Jones ile adamları, Foxwood ve Pinchfield çiftliklerinden yarım düzine adamla birlikte, parmaklıklı kapıdan içeri girmişler, araba yolundan çiftliğe geliyorlardı. Jones, elinde bir tüfek, en önde yürüyor; eli sopalı adamlar da onu izliyorlardı. Besbelli, çiftliği geri almayı kafalarına koymuşlardı.

Aslında, böyle bir girişim uzun zamandır beklendiği için bütün önlemler alınmış, gerekli bütün hazırlıklar yapılmıştı. Çiftlik evinde bulduğu eski bir kitabı okuyarak Julius Caesar'ın seferleriyle ilgili kapsamlı bilgiler edinmiş olan Snowball, savunma harekâtının komutanlığına getirilmişti. Hemen buyruklarını verdi; bütün hayvanlar birkaç dakikada yerlerini aldılar.

İnsanlar çiftlik binalarına yaklaştıkları sırada, Snowball ilk saldırıyı başlattı. Tam otuz beş güvercin, adamların başlarının üzerinde uçuşarak tepelerine pisledi. Adamlar güvercinleri kovalamaya çabalarken, çitin arkasına gizlenmiş olan kazlar birden ileri atılarak baldırlarını vahşice gagalamaya başladılar. Ne var ki, bu yalnızca ortalığı biraz karıştırmaya yönelik göstermelik bir saldırıydı; nitekim, adamlar kazları sopalarıyla kolayca geri püskürttüler. Bu kez Snowball ikinci saldırıyı başlattı. Muriel, Benjamin ve bütün koyunlar, başlarında Snowball, ileri atılıp adamlara dört bir yandan tos vurmaya, boynuz atmaya koyuldular; bu arada Benjamin, dönüp dönüp çifte atıyordu. Ama ellerinde sopaları, ayaklarında kabaralı botlarıyla adamlar, gene de hayvanlardan güçlüydüler. Snowball birden ciyaklayarak geri çekil işareti verince, tüm hayvanlar geri döndüler, geçitten geçerek avluya daldılar.

Zafer naraları atan adamlar, düşmanlarının kaçmakta olduğunu sanarak, darmadağınık arkalarından koşuşturdular. Snowball'un istediği de buydu. Hepsi avluya girince, ağılda pusuya yatmış olan üç at, üç inek ve öteki domuzlar ansızın ortaya çıkıp adamların arkasını kestiler. Snowball işte tam o anda saldırı işaretini verdi ve dosdoğru Jones'un üstüne atıldı. Snowball'un üstüne geldiğini gören Jones, tüfeğini doğrultup ateş etti. Saçmalar Snowball'un sırtında kanlı karıklar açtı; koyunlardan biri oracıkta can verdi. Snowball, bir an duraksamadan, yüz kiloluk gövdesiyle Jones'un bacaklarına dalıverdi. Jones bir gübre yığınının üstüne yuvarlanırken, tüfeği elinden fırladı gitti. Ama en korkunçları Boxer'dı; arka ayakları üzerinde şaha kalkmış, demir nallı koca ayaklarını savurarak bir aygır gibi dövüşüyordu. İlk darbe Foxwood Çiftliği'nden bir seyisin kafasına indi, çamurların içine yıkılan delikanlı ruhunu oracıkta teslim etti. Bunu gören adamların birçoğu sopalarını bırakıp kaçmaya yeltendi. Ürküye kapılmışlardı. O saat, tüm hayvanlar, adamların ardına düştüler, onları avlunun çevresinde kovalamaya başladılar. Boynuz vuruyor, çifteliyor, ısırıyor, arkada kalanı ezip geçiyorlardı. Adamlardan kendince öcünü almayan tek bir hayvan kalmadı çiftlikte. Kedi bile damdan ansızın bir sığırtmacın sırtına atladı, tırnaklarını ensesine geçirerek acı acı bağırttı adamı. Adamlar bir fırsatını bulur bulmaz avludan dışarı fırladılar, anayola doğru tabana kuvvet koşmaya başladılar. Çiftliği basalı daha beş dakika olmamıştı ki, onur kırıcı bir bozguna uğramışlar, geldikleri gibi gidiyorlardı. Tıslayarak arkalarından gelen bir kaz sürüsü, yol boyunca bacaklarını gagaladı.

Hepsi kaçmıştı, biri dışında. Boxer, avluda, çamurun içinde yüzüstü yatmakta olan seyisi ön ayağıyla iteliyor, sırtüstü çevirmeye çalışıyor, ama oğlan kımıldamıyordu.

Boxer, üzüntüyle, "Ölmüş," dedi. "Öldürmek gibi bir niyetim yoktu. Ayaklarımda demir nallar olduğunu unutmuşum. İsteyerek yapmadığıma kim inanır şimdi?"

Yaraları hâlâ kanamakta olan Snowball, "Duygusallığa gerek yok, yoldaş!" diye bağırdı. "Savaş savaştır. En iyi insan, ölü insandır."

"Ben kimsenin canını almak istemem," dedi Boxer. Gözleri dolu dolu olmuştu.

Tam o sırada, birisi, "Mollie nerede?" diye haykırdı.

Gerçekten de, Mollie kayıptı. Birden ortalık karıştı. Başına bir şey mi gelmişti yoksa? Adamlar Mollie'yi kaçırmış olmasınlardı? Uzun aramalardan sonra Mollie'yi ahırda buldular; ahırdaki bölmesine saklanmış, kafasını yemlikteki samanlara gömmüştü. Silahlar patlar patlamaz ürküp kaçmıştı. Mollie'yi aramaya çıkanlar avluya döndüklerinde bir de baktılar, seyis ortalarda yok. Anlaşılan, öldü sandıkları delikanlı aslında yalnızca bayılmıştı; sonradan kendine gelmiş, tabanları yağlayıvermişti.

Hayvanlar çılgınca bir coşkuyla yeniden bir araya gelmişler, savaşta gösterdikleri kahramanlıkları avazları çıktığı kadar bağırarak birbirlerine anlatıyorlardı. Zaferi kutlamak için hemen oracıkta bir tören düzenlediler.

Bayrağı göndere çekip birkaç kez *İngiltere'nin Hayvanları* şarkısını söylediler. Ardından, savaşta yitirdikleri koyun için ağırbaşlı bir gömme töreni düzenlendi, mezarının üstüne bir alıç fidanı dikildi. Mezar başında kısa bir konuşma yapan Snowball, gerekirse bütün hayvanların Hayvan Çiftliği uğruna ölmeye hazır olmaları gerektiğini vurguladı.

Hayvanlar, oybirliğiyle, bir askeri nişan oluşturulmasını kararlaştırdılar. "Birinci Dereceden Kahraman Hayvan" nişanı, hemen orada Snowball ile Boxer'a verildi. Bu pirinç madalyalar (aslında, koşum takımlarının durduğu odada buldukları eski at takılarıydı) pazarları ve bayram günleri takılacaktı. Savaşta hayatını yitirmiş olan koyun ise "İkinci Dereceden Kahraman Hayvan" nişanına değer görüldü.

Savaşa ne ad verileceği uzun uzadıya tartışıldı. Sonunda, "Ağıl Savaşı"nda karar kılındı; pusuya yatan hayvanlar oradan saldırıya geçmişlerdi. Bay Jones'un tüfeği çamurun içinde bulundu. Çiftlik evinde birkaç kutu fişek olduğunu biliyorlardı. Tüfeğin, top gibi, bayrak direğinin dibine yerleştirilmesi ve biri Ağıl Savaşı'nın yıldönümü olan 12 Ekim'de, öbürü de Ayaklanma'nın gerçekleştiği Yaz Dönümü'nde olmak üzere yılda iki kez tören atışı yapılması kararlaştırıldı.

Beşinci bölüm

Kış yaklaştıkça, Mollie daha da tuhaflaşıyordu. Her sabah işe geç geliyor, uyuyakaldığını söyleyerek özür diliyor, iştahı yerinde olmasına karşın akıl sır erdiremediği bazı sancılardan yakınıyordu. Bir bahane uydurup işten kaçıyor, yalağın başına gidip aptal aptal sudaki yansısını seyrediyordu. Ama ortalıkta daha ciddi söylentiler de dolaşıyordu. Bir gün, Mollie, ağzında bir saman sapı, kuyruğunu sallayarak keyifle avluya girdiğinde, Clover onu bir kenara çekti.

"Bak, Mollie," dedi, "çok ciddi bir şey söyleyeceğim sana. Bu sabah, Hayvan Çiftliği'ni Foxwood Çiftliği'nden ayıran çitin üzerinden bakarken gördüm seni. Çitin öbür yanında da Bay Pilkington'ın adamlarından biri vardı. Gerçi çok uzaktaydım, ama seninle konuştuğunu, senin de burnunu okşamasına ses çıkarmadığını gördüğüme neredeyse emindim. Ne demek oluyor bu, Mollie?"

"Hayır! Burnumu falan okşamadı!" diye bağırdı Mollie. "Ben öyle bir şey yapmadım! Yalan!" Ter ter tepiniyor, ayaklarıyla yeri eşeliyordu.

"Mollie! Yüzüme bak. O adamın senin burnunu okşamadığına namusun üstüne yemin eder misin?"

Mollie, "Yalan! Öyle bir şey olmadı!" diye yinelediy-

53

se de, gözlerini Clover'ın gözlerinden kaçırdı; tarlaya doğru dörtnala tabanları yağladı.

Birden, Clover'ın kafası bir şeye takıldı. Kimseye bir şey söylemeden Mollie'nin ahırdaki bölmesine girdi, ayağıyla biraz eşeleyince samanların arasına bir avuç kesmeşeker ile çeşitli renklerde kurdeleler gizlenmiş olduğunu gördü.

Üç gün sonra Mollie ortadan kayboldu. Uzun süre nerede olduğuna ilişkin hiçbir bilgi edinilemedi, ta ki güvercinler onu Willingdon'ın orada gördüklerini bildirene kadar. Bir meyhanenin önünde duran, kırmızı-siyah, küçük, şık bir arabaya koşuluymuş. Meyhaneciye benzeyen, ekose pantolonlu, tozluklu, şişman, al yanaklı bir adam, Mollie'nin burnunu okşuyor, ona şeker yediriyormuş. Tüyleri yeni kırkılmış olan Mollie'nin perçemine kızıl bir kurdele bağlıymış. Güvercinlere bakılırsa, keyfi yerinde görünüyormuş. O günden sonra hayvanlar Mollie'nin adını bir daha anmadılar.

Ocak ayında havalar müthiş soğudu. Toprak o kadar sertti ki, tarlalarda çalışmak olanaksızdı. Büyük samanlıkta toplantı üstüne toplantı yapılıyor, domuzlar gelecek mevsimin işlerini planlamaya çalışıyorlardı. Çiftlik siyasetiyle ilgili bütün konularda karar verme yetkisi, öteki hayvanlardan açıkça daha zeki olan domuzlara verilmişti; verdikleri kararların oy çokluğuyla onaylanması gerekse de. Hemen her konuda takışan Snowball ile Napoleon arasında ikide bir hırgür çıkmasa, bu düzen pek güzel işleyecekti. Biri arpa ekilen alanın daha da genişletilmesini önerecek olsa, öbürü yulaf ekilen alanın genişletilmesi gerektiğini savunmaya kalkıyor; biri bir tarlanın lahana yetiştirmeye elverişli olduğunu söyleyecek olsa, öbürü o tarlada kökbitkilerden başka hiçbir şey yetişmeyeceğini ileri sürüyordu. İkisinin de yandaşları vardı; bazen şiddetli tartışmalar patlak veriyordu. Snowball, parlak söylevleriyle, toplantılarda çoğu zaman oyların çoğunluğunu elde etmeyi başarıyordu; ama Napoleon da, kulis çalışmalarında kendine destek bulma konusunda az becerikli değildi. Özellikle de koyunları etkilemeyi çok iyi biliyordu. Son zamanlarda yerli yersiz "Dört ayak iyi, iki ayak kötü!" diye melemeyi alışkanlık edinmiş olan koyunlar, toplantının sık sık kesilmesine yol açıyorlardı. Özellikle de Snowball'un konuşmasının can alıcı yerlerinde, "Dört ayak iyi, iki ayak kötü!" diye melemeye başlamaları gözden kaçmıyordu. Snowball, çiftlik evinde bulduğu *Çiftçi ve Hayvan Yetiştiricisi* adlı derginin eski sayılarını okuyup incelemiş, çiftliğin yenilenmesi ve geliştirilmesiyle ilgili bir sürü tasarı oluşturmuştu. Tarlalarda su kanalları açılması, yemlerin silolarda korunması, dışkılardan nasıl yararlanılacağı gibi konuları ne kadar iyi bildiğini gösteren konuşmalar yapıyordu. Tüm hayvanların dışkılarını doğrudan doğruya tarlaya, hem de her gün tarlanın farklı bir yerine yapmalarıyla ilgili karmaşık bir tasarı geliştirmişti; böylece, dışkıları arabalarla tarlalara taşımak için emek ve zaman harcamaktan da kurtulacaklardı. Napoleon ise tek bir özgün düşünce bile geliştirmiyor, Snowball'un tasarılarının hiçbir işe yaramayacağını sessizce çevresine yayıyor, sanki uygun zamanı kolluyordu. Ama aralarındaki tartışmaların en şiddetlisi, yel değirmeni konusunda patlak verecekti.

Çiftlik binalarının az ilerisinde uzanıp giden çayırda, küçük bir tepe vardı. Burası, çiftliğin en yüksek yeriydi. Zemini iyice inceleyen Snowball, bir yel değirmeni için en uygun yerin burası olduğunu açıkladı. Yel değirmeni bir dinamoyu çalıştırabilir ve tüm çiftliğe elektrik gücü sağlayabilirdi. Böylece, ahırlar aydınlatılabilir ve kışın ısıtılabilir; yuvarlak testere, ot ve saman bıçkısı, pancar doğrayıcı ve elektrikli süt sağma makinesi gibi aletler kullanılabilirdi. Hayvanlar daha önce hiç böyle bir şey duymamışlardı (Nuh Nebi'den kalma bir çiftlik olan Beylik Çiftlik'te yalnızca en ilkel aletler bulunuyordu); o düşsel aygıtları gözlerinin önünde canlandıran Snowball'u şaşkınlık içinde dinliyorlardı. Snowball'un anlattıklarına bakılırsa, bu akıl almaz aygıtlar çiftliğin bütün işlerini görecek, onlar da kırlarda yan gelip keyif çatacaklar, kitap okuyup söyleşerek kendilerini geliştireceklerdi.

Snowball'un yel değirmeniyle ilgili planları birkaç haftada sonuçlandırıldı. Mekanik ayrıntıların büyük bir bölümü, Bay Jones'un üç kitabından elde edildi: *Eviniz İçin Binbir Bilgi*, *Kendi Duvarını Kendin Yap* ve *On Derste Elektrik*. Snowball, bir zamanlar kuluçka makinelerinin durduğu, düzgün ahşap döşemesi çizim yapmaya elverişli barakayı çalışma odası olarak kullanıyordu. Bazen saatlerce kapandığı oluyordu barakaya. Yere açtığı kitaplarının sayfaları üzerine taş ağırlıklar koyuyor, ön ayağının toynakları arasına bir tebeşir tutturuyor, çizimleri hızla gerçekleştirirken heyecandan soluğu kesiliyor, kesik kesik hırıltılar çıkıyordu gırtlağından. Snowball'un çizimleri yavaş yavaş manivelalar ve dişli çarklardan oluşan karmaşık bir yığına dönüştü, barakanın yarısından fazlasını kapladı. Öteki hayvanlar bütün bunlardan hiçbir şey anlamıyor, ama çok etkileyici buluyorlardı. Her gün en az bir kez gelip Snowball'un çizimlerine bakıyorlardı. Tavuklar ve ördekler de geliyor, tebeşirle çizilmiş çizgilere basmamak için akla karayı seçiyorlardı. Bir tek, yel değirmenine karşı olduğunu daha en başından açıklamış olan Napoleon uzak duruyordu oradan. Ama gene de dayanamadı, bir gün durup dururken çizimleri görmeye geldi. Barakanın içinde ağır ağır dolandı, çizimlerin her bir ayrıntısını uzun uzadıya inceledi, birkaç kez koklayıp yokladı, bir süre öyle durup göz ucuyla gözledi, sonra birden bacağını kaldırıp çizimlerin üstüne işedi ve tek bir söz söylemeden çıktı gitti.

Yel değirmeni sorunu, çiftlikte derin bir bölünmeye yol açmıştı. Snowball, yel değirmeninin yapımının çok zor olacağını yadsımıyordu. Taşocağından taş taşınacak, duvarlar örülecek, yel değirmeninin kanatları yapılacak, sonra da dinamolar ve kablolar bulmak gerekecekti. (Snowball, bütün bu işlerin üstesinden nasıl gelineceğinden hiç söz etmiyordu.) Yalnızca, bütün işlerin bir yıl içinde biteceğini ileri sürmekle yetiniyordu. Ona kalırsa, yel değirmeni tamamlandığında işler o kadar kolaylaşacaktı ki, hayvanların haftada yalnızca üç gün çalışmaları gerekecekti. Buna karşılık Napoleon, en büyük gereksinimlerinin besin üretimini artırmak olduğunu, yel değirmeniyle zaman yitirilirse herkesin açlıktan öleceğini öne sürüyordu. Hayvanlar, "Oyunuzu Snowball'a atın, haftada üç gün çalışın!" ve "Oyunuzu Napoleon'a atın, hiç aç kalmayın!" sloganları altında iki hizbe ayrılmışlardı. Hiziplerin dışında kalan tek hayvan Benjamin'di. Ne bolluk geleceğine inanıyordu, ne de yel değirmeninin işleri kolaylaştıracağına. "Yel değirmeni olsa da, olmasa da, şu kötü hayatımızda değişen bir şey olmayacak," diyordu.

Yel değirmeni tartışmaları süredursun, bir de çiftliğin savunulması sorunu vardı. İnsanların, Ağıl Savaşı'nda bozguna uğratılmış olmalarına karşın, çiftliği yeniden ele geçirip Bay Jones'a geri vermek için, daha da kararlı ikinci bir girişimde bulunabilecekleri artık bütün hayvanlarca kavranmıştı. Uğradıkları yenilginin haberi tüm köylere yayılarak, komşu çiftliklerdeki hayvanların daha da asileşmelerine yol açmış; bu yüzden, insanların yeniden saldırıya geçme olasılığı daha da artmıştı. Snowball ile Napoleon, her konuda olduğu gibi bu konuda da anlaşamadılar. Napoleon'a göre, hayvanların bir yerlerden ateşli silahlar bulmaları ve bunları kullanmayı öğrenmeleri gerekiyordu. Snowball ise, öteki çiftliklerin üzerine daha çok güvercin salmaları ve hayvanları başkaldırmaya kışkırtmaları gerektiği kanısındaydı. Biri, kendilerini savunamazlarsa, eninde sonunda mutlaka yenileceklerini ileri sürüyor; öbürü ise, her yerde ayaklanmalar patlak verirse, kendilerini savunmalarına gerek kalmayacağını söylüyordu. Hayvanlar bir Napoleon'a, bir Snowball'a kulak veriyorlar, ama hangisinin haklı olduğu konusunda bir türlü karara varamıyorlardı. Daha doğrusu, o sırada kim konuşuyorsa ona hak veriyorlardı.

En sonunda, Snowball'un planları gerçek oldu. Ertesi pazar düzenlenecek Toplantı'da, yel değirmeni yapım çalışmalarının başlatılması önerisi oya sunulacaktı. Hayvanlar büyük samanlıkta toplandıklarında, Snowball ayağa kalktı ve konuşmasının ikide bir koyunların melemeleriyle kesilmesine aldırmaksızın, yel değirmeninin yapılması gerektiğinin nedenlerini sayıp döktü. Ardından, yanıt vermek üzere Napoleon kalktı ayağa. Çok sakin bir sesle, yel değirmeninin saçmalıktan başka bir şey olmadığını, yel değirmenine oy vermeyi kimseye öğütleyemeyeceğini söyledi ve hemen yerine oturdu. Konuşması yarım dakika bile sürmemişti; sözlerinin etkisinin farkında değilmiş gibi görünüyordu. Bunun üzerine, yerinden fırlayan Snowball, yeniden melemeye başlayan koyunları susturarak, yel değirmeninin nimetlerini anlatan ateşli bir söylev çekti. O ana kadar, yel değirmenini isteyen hayvanlarla yel değirmenine karşı çıkan hayvanların sayısı aşağı yukarı eşit görünüyordu, ama Snowball'un söz ustalığı eşitliği bir anda bozuverdi. Parlak sözlerle, hayvanların köle gibi çalışmaktan kurtulacakları bir Hayvan Çiftliği tablosu çizen Snowball'un düş gücü artık saman bıçkılarının, pancar doğrayıcıların çok ötesine uzanmıştı. Harman makineleri, sabanlar, kesek kırma makineleri, silindirler, biçerdöverler ve biçerbağlarların elektrik gücüyle çalışacağını, her ahırın kendi ışığına, sıcak ve soğuk suyuna, kendi elektrikli ısıtıcısına kavuşacağını söylüyordu. Konuşmasını bitirdiğinde, oyların kime gideceği konusunda kimsenin kuşkusu kalmamıştı. Ama tam o sırada Napoleon ayağa kalktı, Snowball'a yan yan baktıktan sonra, o güne değin kimsenin işitmediği kadar tiz bir çığlık attı.

Bunun üzerine, dışarıdan korkunç havlamalar duyuldu, az sonra çivili tasmalarıyla dokuz iri köpek zıpkın gibi içeri daldı. Dosdoğru Snowball'un üzerine atıldılar. Snowball, tam zamanında yerinden fırlamasa, azgınca saldıran köpeklere yem olacaktı. Hemen kendini dışarı attı, köpekler de peşinden. Şaşkınlık ve korkudan nutku tutulan hayvanlar, kapıya yığılıp kovalamacayı seyre koyuldular. Snowball, bir domuzun koşabileceği kadar hızlı koşuyor, çayırı geçip anayola kavuşmaya çabalıyordu. Ama köpekler de ensesindeydi. Birden kayıp düştü; herkes artık kesin yakalandı derken, yeniden ayağa kalktı ve daha da hızlı koşmaya başladı. Köpekler de fırtına gibiydiler, avlarına eriştiler erişeceklerdi. Bir tanesi tam kuyruğunu kapacaktı ki, Snowball tam zamanında kaçırdı kuyruğunu. Köpeklerle arasında neredeyse bir karış kalmışken, son bir çabayla ileri atılarak, çitteki deliklerden birinden kaçtı gitti. Bir daha da Snowball'u gören olmadı.

Hayvanlar, suskun ve sinmiş, samanlığa geri döndüler. Az sonra köpekler de koşarak geldiler. Bu canavarların nereden çıktığını ilk başta hiç kimse anlayamamıştı, ama çok geçmeden gerçek ortaya çıktı. Bunlar, Napoleon'un annelerinden ayırıp özel olarak yetiştirdiği yavrulardı. Henüz tam büyümemiş olmalarına karşın fazlasıyla iriydiler; bir kurt kadar yabanıl görünüyorlardı. Napoleon'un yanından ayrılmıyorlardı. Tıpkı öteki köpeklerin Bay Jones'a yaltaklandıkları gibi, onların da Napoleon'a kuyruk salladıkları kimsenin gözünden kaçmadı.

Napoleon, arkasında köpekleri, bir zamanlar Koca Reis'in konuşma yapmış olduğu yükseltiye çıktı ve pazar sabahı toplantılarına artık son verileceğini açıkladı: Bu gereksiz toplantılar vakit kaybından başka bir şey değildi. Bundan böyle, çiftliğin işleyişiyle ilgili bütün sorunlar, kendisinin başkanlığındaki özel bir domuzlar kurulunca çözülecekti. Kurul sorunları kapalı oturumlarda ele alacak, kararları sonradan öteki hayvanlara bildirecekti. Hayvanlar pazar sabahları gene bayrağı selamlamak, *İngiltere'nin Hayvanları* şarkısını söylemek ve haftalık buyrukları almak için toplanacaklar, ama tartışmalara artık asla izin verilmeyecekti.

Daha Snowball'un kovuluşunun şaşkınlığını savuşturamamış olan hayvanlar, bu açıklama karşısında iyice umutsuzluğa kapıldılar. Bazıları, doğru dürüst bir gerekçe bulabilseler, karşı çıkacaklardı. Boxer bile tedirgindi. Kulaklarını arkaya yatırdı, yelesini sallayarak kafasını toparlamaya çalıştı; ama söyleyecek söz bulamadı. Domuzlardan bazıları ise düşüncelerini açıkça dile getirmekten çekinmediler. Ön sıradaki dört genç domuz, hep birlikte ayağa fırlayarak, olup bitenleri onaylamadıklarını bağıra bağıra açıkladılar. Ama Napoleon'un ayakları dibinde yatmakta olan köpekler birden ürkütücü bir biçimde hırlayınca, susup yerlerine oturmak zorunda kaldılar. O sırada, koyunlar da, kulakları sağır eden bir sesle, "Dört ayak iyi, iki ayak kötü!" diye melemeye başlamışlardı. Gösteri o kadar uzun sürdü ki, konunun tartışılmasına olanak kalmadı.

Bir süre sonra, çiftliği dolaşıp yeni düzeni öteki hayvanlara anlatma görevi Squealer'a verildi.

"Yoldaşlar," dedi Squealer, "Napoleon Yoldaş'ın böyle bir görevi üstlenmekle ne kadar büyük bir özveride bulunduğunu, buradaki tüm hayvanların çok iyi anladığından hiç kuşkum yok. Yoldaşlar, sakın önderliğin yan gelip keyif çatmak olduğunu sanmayın. Tam tersine, önderlik, çok ağır bir sorumluluk yükler. İçimizde, bütün hayvanların eşit olduğuna en çok inanan, Napoleon Yoldaş'tır. Kararları kendi başınıza almanıza izin vermekten büyük mutluluk duyacaktır. Ama, yoldaşlar, bazen yanlış kararlar da alabilirsiniz, o zaman halimiz nice olur? Örneğin, şu yel değirmeni saçmalığını savunan Snowball'un izinden gitmeye karar verseydiniz, ne yapardık? Hainin teki olduğu artık açıkça ortaya çıkmadı mı Snowball' un?"

Hayvanlardan biri, "Snowball, Ağıl Savaşı'nda yiğitçe çarpıştı," diyecek oldu.

"Yiğitlik yeterli değildir," diye karşılık verdi Squealer. "Sadakat ve itaat daha önemlidir. Ağıl Savaşı'na gelince; Snowball'un bu savaştaki rolünün çok fazla abartıldığını bir gün anlayacağınıza inanıyorum. Disiplin, yoldaşlar, demir disiplin! Bugün parolamız bu olmalı. Tek bir yanlış adım atmayagörelim, düşmanlarımız o saat tepemize binecektir. Yoldaşlar, herhalde Jones'un geri gelmesini istemezsiniz!"

Bu soru da yanıtsız kaldı. Jones'un geri gelmesini elbette istemiyorlardı; pazar sabahları yapılan toplantıların, Jones'un geri gelmesine yol açma olasılığı varsa, tartışmalara kuşkusuz son verilmeliydi. Olup bitenleri kafasında evirip çeviren Boxer, herkesin düşüncesini dile getirdi: "Napoleon Yoldaş öyle diyorsa öyledir." O günden sonra da, kendi adına benimsediği "Daha çok çalışacağım" parolasının yanı sıra, "Napoleon her zaman haklıdır" sözünü düstur edindi.

İlkbaharla birlikte havalar ısınmış, tarlalar sürülmeye başlamıştı. Snowball'un yel değirmeni çizimlerini yaptığı baraka kapatılmış, söylenenler doğruysa yerdeki çizimler de silinmişti. Hayvanlar, her pazar sabahı saat onda büyük samanlıkta toplanıp haftalık buyrukları alıyorlardı.

Koca Reis'in artık bütünüyle kurumuş olan kafatası, meyve bahçesinde gömüldüğü yerden çıkarılmış, bayrak direğinin dibinde, tüfeğin yanında duran bir kütüğün üzerine yerleştirilmişti. Hayvanlar, bayrak göndere çekildikten sonra kafatasının önünden saygıyla geçerek girmek zorundaydılar samanlığa. Samanlıkta da artık eskiden olduğu gibi bir arada oturulmuyordu. Napoleon, yükseltinin önünde oturuyor; şiir yazıp şarkı besteleme konusunda olağanüstü yetenekli olan Minimus adlı bir başka domuz ile Squealer da iki yanına çöküyorlardı. Dokuz genç köpek onların çevresinde yarım daire oluşturuyor, öteki domuzlar ise daha arkada oturuyorlardı. Geri kalan hayvanların tümü, yüzleri onlara dönük, yükseltinin karşısına diziliyordu. Napoleon haftalık buyrukları asker gibi, sert bir sesle okuyor, *İngiltere'nin Hayvanları* şarkısı tek bir kez söyleniyor ve herkes dağılıyordu.

Snowball'un çiftlikten kovuluşunun üzerinden topu topu üç pazar geçmişti. Napoleon birdenbire yel değirmeninin yapılması gerektiğini açıklayınca, tüm hayvanlar donup kaldılar. Bu apansız düşünce değişikliğinin nedenini söylemedi Napoleon, yalnızca bu ağır işin çok sıkı çalışmalarını gerektireceğini belirterek herkesi uyardı; tayınların azaltılması bile söz konusu olabilirdi. Ama planlar en ince ayrıntılarına kadar hazırlanmıştı. Domuzlardan oluşan özel bir kurul, üç haftadır kafa patlatıyordu. Yel değirmeni yapımı, bazı değişikliklerle birlikte, iki yıl sürebilirdi.

O akşam Squealer, öteki hayvanlara, Napoleon'un yel değirmeni tasarısına aslında hiçbir zaman karşı çıkmadığını anlattı. Tam tersine, bu tasarıyı ilk savunan Napoleon olmuştu; nitekim, Snowball'un barakanın döşemesine çizdiği tasarımlar, aslında Napoleon'un dosyaları arasından çalınmış olan çizimlerdi. Yel değirmeni, gerçekte, onun düşüncesinden doğmuştu.

Hayvanlardan biri sormadan edemedi: "Onun düşüncesinden doğmuştu da, Napoleon neden o kadar şiddetle karşı çıkmıştı yel değirmenine?" Squealer'ın yüzünde şeytansı bir anlatım belirdi: "Napoleon Yoldaş kurnazca davrandı," dedi. "Snowball, tehlikeli biriydi, herkese kötü örnek oluyordu. Napoleon Yoldaş da, ondan kurtulmak için yel değirmenine karşıymış gibi *göründü.*" Squealer'a bakılırsa, artık Snowball ortadan kalktığına göre yel değirmeni tasarısı rahatça uygulamaya konulabilirdi. İşte, taktik diye buna derlerdi. Squealer, hoplaya zıplaya, şen kahkahalar atıp kuyruğunu sallayarak birkaç kez, "Taktik, yoldaşlar, taktik!" diye yineledi. Hayvanlar, "taktik" sözcüğünden pek bir şey anlamamışlardı doğrusu; ama Squealer o kadar inandırıcı konuşuyordu, kuşkusuz bir rastlantı sonucu onun yanında bulunan üç köpek öylesine ürkütücü bir biçimde hırlıyordu ki, Squealer'ın açıklamasını daha fazla karşı çıkmadan kabul ettiler.

Altıncı bölüm

Koca bir yıl köle gibi çalıştılar. Ama böyle çalışmaktan mutluydular; ne yapıyorlarsa, bir avuç aylak ve soyguncu insanın çıkarı için değil, kendi çıkarları uğruna ve gelecek kuşaklar için yaptıklarının bilincinde olduklarından, var güçleriyle çabalıyorlar, her türlü özveriye sessizce katlanıyorlardı.

İlkbahar ve yaz boyunca haftada altmış saat çalışmışlardı. Ağustos geldiğinde, Napoleon, pazarları öğleden sonra da çalışılacağını açıkladı. Bu kesinlikle gönüllü bir çalışma olacak, ama işe gelmeyen her hayvanın tayını yarıya indirilecekti. Böyle olmasına karşın, bazı işlerin yapılmasından vazgeçmek zorunda kalındı. Hasat önceki yıl kadar bereketli değildi; iki tarla, vaktinde sürülemediği için ekilememişti. Yaklaşmakta olan kışın zorlu geçeceğini kestirmek için de kâhin olmak gerekmiyordu.

Yel değirmeni beklenmedik güçlükler çıkarıyordu. Çiftlikte büyük bir kireçtaşı ocağı vardı; küçük binalardan birinde kum ve çimento bulunmuştu; dolayısıyla, her türlü inşaat malzemesi ellerinin altındaydı. Ama hayvanların ilk başta çözemedikleri sorun, taşların uygun boyutta parçalara nasıl ayrılacağıydı. Keski ve balyoz gerekiyordu, oysa hayvanlar arka ayaklarının üzerinde duramadıkları için bu aletleri kullanamıyorlardı. Haftalar boyu düşünüp taşındılar, tam umutlarını yitirmek üzereydiler ki biri, bir çözüm buldu: Yerçekiminden yararlanacaklardı. Taşocağı, kırılmadan kullanılamayacak kadar büyük kaya parçalarıyla doluydu. Bu kaya parçalarını iplerle bağladılar; sonra inekler, atlar, koyunlar, ipi tutabilen tüm hayvanlar –zor durumlarda domuzlar bile– kayaları ağır ağır yokuş yukarı taşocağının tepesine kadar çektiler. Oradan salıverdikleri kayalar aşağıda paramparça oluyordu. Taşları taşımak daha kolaydı. Atların çektiği yük arabaları çok işe yaradı; koyunlar taşları teker teker sürüklediler; Muriel ile Benjamin bile kendilerini eski bir arabaya koşarak katkıda bulundular. Yaz sonuna kadar yeterince taş yığılınca, domuzların gözetimi altında inşaat başladı.

Ne var ki çok vakit alan zorlu bir uğraş vermişlerdi. Tek bir kaya parçasının taşocağının tepesine çıkartılması çoğu zaman bütün bir günlerini alıyor ve olağanüstü bir çaba gerektiriyordu. Bazen de, aşağı yuvarlanan kaya parçalanmıyordu. Gücü, neredeyse geri kalan hayvanların tümünün gücüne eşit olan Boxer olmasaydı, belki de bu işin üstesinden gelemeyeceklerdi. Tepeden aşağıya kayan kaya parçasıyla birlikte sürüklendiklerini gören hayvanlar umarsızca bağırmaya başlayınca, Boxer hemen imdada yetişiyor, ipe olanca gücüyle asılarak kayayı durduruyordu. Hayvanlar, onun kayanın kaymasını önlemek için soluk soluğa didinişini, ayaklarının ucuyla toprağa tutunuşunu, geniş sağrılarının kan ter içinde kalışını hayranlıkla izliyorlardı. Bazen Clover onu kendisini fazla zorlamaması için uyarıyor ama Boxer ona asla kulak asmıyordu. "Daha çok çalışacağım" ve "Napoleon her zaman haklıdır" sloganları, onun gözünde, bütün sorunların ilacıydı. Kendisini yarım saat değil de, kırk beş dakika erken uyandırması için küçük horozla anlaşmıştı. Bütün bunlar yetmiyormuş gibi, artık iyice azalmış olan boş vakitlerinde de tek başına taşocağına gidiyor, kırılmış taşları topluyor, kimseden yardım görmeksizin sürükleyerek yel değirmeninin yapılacağı yere getiriyordu.

İşlerin ağırlığına karşın, hayvanlar o yazı çok da kötü geçirmediler. Tayınları Jones'un zamanındakinden daha çok değildi, ama daha az da sayılmazdı. En azından, artık doymak nedir bilmeyen beş insanı beslemekten kurtulmuşlardı; yalnızca kendilerini besliyor olmalarının keyfi o kadar büyüktü ki, çektikleri güçlüklere seve seve katlanıyorlardı. Ayrıca, hayvanların iş görme yöntemi birçok bakımdan daha verimliydi ve emek savurganlığını önlüyordu. Sözgelimi, yaban otlarının ayıklanması gibi işler, insanların hiçbir zaman erişemeyeceği bir yetkinlikle yapılıyordu. Artık hiçbir hayvan hırsızlığa yeltenmediği için de, otlağı tarlalardan çitlerle ayırmaya gerek kalmamıştı; bu da, çitlerin ve parmaklıkların bakımı ve onarımına harcanan emekten kazanılmasını sağlıyordu. Gene de, yaz ilerledikçe, önceden kestirilemeyen bazı eksiklikler kendini duyurmaya başladı. Gazyağı, çivi, ip ve köpek bisküvisine; atnalı için demire gereksinim vardı; üstelik, bunların hiçbiri çiftlikte üretilebilecek şeyler değildi. Sonradan, tohum ve suni gübreye, çeşitli aletlere ve yel değirmeni için birtakım makine parçalarına da gereksinim duyulacaktı. Bunların nasıl sağlanacağını kimse bilemiyordu.

Bir pazar sabahı, buyruk almak için toplanıldığında, Napoleon yeni bir siyaset belirlediğini açıkladı. Artık Hayvan Çiftliği komşu çiftliklerle alışverişe girecekti. Hiç kuşkusuz, tecimsel amaçlarla değil, yalnızca ivedilikle gerekli olan bazı malzemeleri edinebilmek amacıyla. Napoleon, "Yel değirmeninin gereksinimleri her şeyin üstünde tutulmalıdır," diyordu. Bu yüzden de, büyük bir saman yığınını ve o yılın buğday ürününün bir bölümünü satmak üzere anlaşmalar yapıyordu; sonradan, daha fazla para gerekirse, Willingdon'da her zaman pazarı olan yumurtalar da satılabilirdi. Napoleon'a bakılırsa, tavuklar bunu yel değirmeninin yapımına kendi özel katkıları olarak görmeli, böyle bir özveride bulunmaktan kaçınmamalıydılar.

Hayvanlar, bir kez daha, belli belirsiz bir tedirginliğe kapılmışlardı. İnsanlarla asla iş yapılmayacak! Asla ticarete girilmeyecek! Asla para kullanılmayacak! Jones'un çiftlikten kovulmasından sonra düzenlenen Zafer Toplantısı'nda alınmış olan ilk kararlar değil miydi bunlar? Bu kararların onaylandığını bütün hayvanlar anımsıyorlardı; ya da en azından anımsadıklarını sanıyorlardı. Napoleon'un toplantıları kaldırmasını protesto etmiş olan dört küçük domuz, seslerini ürkekçe yükseltecek oldularsa da, ansızın köpeklerin ürkünç hırlamaları karşısında susmak zorunda kaldılar. Hemen ardından koyunlar, her zamanki gibi, "Dört ayak iyi, iki ayak kötü!" diye melemeye başladılar ve gergin hava geçiştirilmiş oldu. Az sonra, Napoleon ön ayağını kaldırarak herkesi susturdu ve her şeyi çoktan ayarladığını açıkladı. Çiftlikteki hayvanların insanlarla ilişkiye girmesinin son derece sakıncalı olacağını bildiği için, buna gerek kalmayacak koşulları oluşturmaya karar vermişti. Tüm sorumluluğu kendisi üstlenecekti. Willingdon'da oturan Bay Whymper adlı bir avukat, Hayvan Çiftliği ile dış dünya arasındaki işlerde aracılık etmeye razı olmuştu; her pazartesi sabahı çiftliğe gelip Napoleon'dan talimat alacaktı. Napoleon, konuşmasını her zaman olduğu gibi "Yaşasın Hayvan Çiftliği!" çığlığıyla tamamladıktan sonra, hayvanlar *İngiltere'nin Hayvanları* şarkısını söyleyip dağıldılar.

Çok geçmeden, Squealer, çiftliği dolaşıp hayvanların kafalarında beliren kuşkuları gidermeye koyuldu. İnandırıcı bir dille, aslında ticaret yapılmaması ve para kullanılmamasına ilişkin hiçbir karar alınmadığını, dahası böyle bir kararın önerilmesinin bile söz konusu olmadığını anlattı. Bütün bunlar, büyük bir olasılıkla Snowball'un ilk başlarda yaydığı yalanlardan kaynaklanan bir hayal ürünüydü. Squealer, bazılarının kafalarındaki kuşkuların gene de dağılmadığını fark ederek, kurnazca sordu: "Bu, sakın düşünüzde gördüğünüz bir şey olmasın, yoldaşlar? Böyle bir kararın belgesi var mı? Bir yerde yazılı mı?" Gerçekten de, ortalıkta böyle bir yazılı belge bulunmadığından, hayvanlar yanıldıklarını kabullenmek zorunda kaldılar.

Bay Whymper, önceden kararlaştırıldığı gibi, her pazartesi çiftliğe uğruyordu. Ivır zıvır işlerle uğraşan bir avukat olan Bay Whymper, favorili, ufak tefek, bakışları yaramaz bir adamdı. Ama Hayvan Çiftliği'nin eninde sonunda bir komisyoncuya gereksinim duyacağını ve bu komisyoncunun payının hiç de az olmayacağını çok önceden fark edecek kadar da açıkgözdü. Hayvanlar, onun gelip gidişlerini ürkerek izliyorlar, onunla karşılaşmaktan elden geldiğince kaçınıyorlardı. Ama gene de, dört ayaklı Napoleon'un iki ayaklı Whymper'a buyruklar verdiğini görmek, gururlarını okşuyor, bu yeni durumu bir ölçüde de olsa benimsemelerini sağlıyordu. İnsan soyuyla ilişkileri pek eskisi gibi değildi artık. İnsanların Hayvan Çiftliği'ne duydukları nefret azalmış değildi; tam tersine, çiftliğin geliştiğini gördükçe her zamankinden daha çok nefret eder olmuşlardı. Hepsi de, çiftliğin eninde sonunda sıfırı tüketeceğine, daha da önemlisi yel değirmeni tasarısının tam bir fiyaskoyla sonuçlanacağına yürekten inanıyordu. Meyhanelerde bir araya geliyorlar, yel değirmeninin asla yapılamayacağını, yapılsa bile hiçbir zaman işlemeyeceğini birbirlerine çizimlerle anlatıp kanıtlamaya çabalıyorlardı. Öte yandan, hayvanların kendi işlerinin üstesinden beceriyle gelmelerine, istemeye istemeye de olsa hayranlık duyuyorlardı. Çiftliğin adının aslında Beylik Çiftlik olduğunu ileri sürüp durmaktan caymış olmaları ve artık Hayvan Çiftliği adını kullanmaları, bunun bir göstergesiydi. Çiftliğini geri alma umudunu yitirip ülkenin başka bir yöresine gitmiş olan Jones'u savunmaktan da vazgeçmişlerdi. Hayvan Çiftliği ile dış dünya arasında, Whymper dışında hiçbir bağ yoktu, ama Napoleon'un ya Foxwood Çiftliği'nden Bay Pilkington'la ya da Pinchfield Çiftliği'nden Bay Frederick'le somut bir iş anlaşması yapmak üzere olduğu yolunda sürekli söylentiler dolaşıyor, ancak hiçbir zaman ikisiyle birden aynı anda anlaşmayacağı konuşuluyordu.

İşte tam o sıralar, domuzlar, çiftlik evine taşındılar, orayı kendilerine mesken edindiler. Hayvanlar bir kez daha böyle bir davranışı yasaklayan bir karar alınmış olduğunu anımsar gibi oldularsa da, Squealer onları bir kez daha durumun hiç de böyle olmadığına inandırmayı başardı. Çiftliğin beyinleri olan domuzların sessiz ve sakin bir yerde çalışmalarının kesinlikle gerekli olduğunu söyledi. Kaldı ki, Önder'in (son zamanlarda Napoleon' dan hep "Önder" diye söz eder olmuştu) saygınlığı açısından, basit bir ağıl yerine bir evde yaşaması daha uygundu. Gene de, bazı hayvanlar, domuzların yemeklerini mutfakta yemekle ve oturma odasını eğlence salonu olarak kullanmakla kalmadıklarını, aynı zamanda yataklarda yattıklarını işittiklerinde epeyce rahatsız oldular. Boxer, bu durumu her zamanki gibi, "Napoleon her zaman haklıdır!" diyerek geçiştirdi; ama yatakta yatmayı yasaklayan kesin bir yasa olduğunu anımsar gibi olan Clover, büyük samanlığın duvarının önüne gitti ve orada yazılı olan Yedi Emir'i okumaya çalıştı. Baktı ki, tek tek harflerden başka bir şey sökemiyor, Muriel'i çağırdı.

"Muriel," dedi, "Dördüncü Emir'i oku bakayım bana. Yatakta asla yatılmaması konusunda bir şey diyor mu?"

Yazıyı güçbela okuyabilen Muriel, "Hiçbir hayvan

73

çarşaf serili yatakta yatmayacak yazıyor," dedi.

Biraz tuhaftı; Clover Dördüncü Emir'de çarşaftan söz edildiğini hiç anımsamıyordu; ama mademki duvarda yazıyordu, o zaman elden bir şey gelmezdi. O sırada yanında iki üç köpekle oradan geçmekte olan Squealer, konuyu yerli yerine oturtmakta gecikmedi.

"Yoldaşlar," dedi. "Anlaşılan, biz domuzların çiftlik evindeki yataklarda yattığımızı duymuşsunuz. Neden yatmayalım ki? Umarım, yatağı yasaklayan bir buyruk olduğunu sanmıyorsunuzdur! Yatak, yatıp uyunan yerdir. Böyle bakıldığında, ağıldaki saman yığını da yatak sayılır. Buyrukta, bir insan buluşu olan çarşaf yasaklanıyordu. Biz de çiftlik evinin yataklarındaki çarşafları kaldırdık, battaniyelerle yatıyoruz. Üstelik yataklar çok rahat! Ama inanın bana, bugünlerde bir sürü konuda kafa patlatmak zorunda kalan bizler için bir yatak çok görülmemeli. Bu rahatlığı bize çok görmezsiniz, değil mi yoldaşlar? Görevlerimizi yerine getiremeyecek kadar yorgun düşmemizi istemezsiniz herhalde. Hiç sanmıyorum ki, içinizde Jones'un geri dönmesini isteyen olsun!"

Hayvanlar bu konuda Squealer'a hemen güvence verdiler ve bir daha da domuzların çiftlik evindeki yataklarda yatmaları konusunu açmadılar. Birkaç gün sonra, domuzların artık sabahları öteki hayvanlardan bir saat geç kalkacakları açıklandığında, kimsenin sesi çıkmadı.

Güz geldiğinde, hayvanlar yorgun, ama mutluydular. Zorlu bir yılı geride bırakmışlardı. Gerçi saman ve ekinlerin bir bölümü satıldıktan sonra kışlık yiyecek stokunun pek bol olduğu söylenemezdi, ama yel değirmeni bu açığı kapatacaktı. İnşaatın yarısına yakını tamamlanmıştı. Hasattan sonra havalar açmıştı, hayvanlar her zamankinden daha sıkı çalışıyorlar, sabahtan akşama kadar taş taşımaya değer diye düşünüyorlardı, yeter ki yel değirmeninin duvarları bir karış daha yükselsin. Boxer, geceleri bile boş geçirmiyor; dolunayın ışığında tek başına bir iki saat çalışıyordu. Hayvanlar, boş vakitlerinde, yarıya kadar yükselmiş yel değirmeninin çevresinde dolanıp duruyor, dimdik yükselen sağlam duvarları hayran hayran seyrediyor, böylesine görkemli bir yapıyı nasıl ortaya çıkarabildiklerine kendileri de şaşıyorlardı. Yel değirmeni konusunda coşkuya kapılmaktan kaçınan tek hayvan, ihtiyar Benjamin'di; her zaman yaptığı gibi, "Eşekler uzun yaşar," gibisinden anlaşılmaz sözler söylemekle yetiniyordu.

Kasım ayı, lodostan esen sert rüzgârlarla geldi. İnşaatı durdurmak zorunda kalmışlardı; havalar çok yağışlı gittiğinden çimento karmak mümkün olmuyordu. En sonunda, bir gece öyle şiddetli bir fırtına koptu ki, çiftlik binaları temelinden sarsıldı, samanlığın damından kiremitler uçtu. Tavuklar korkuyla gıdaklayarak uyandılar; hepsi birden aynı anda gördükleri düşte uzaklarda bir yerde silah atıldığını duymuşlardı. Sabahleyin bir de baktılar, bayrak direği yıkılmış, meyve bahçesindeki karaağaçlardan biri turp gibi kökünden sökülmüş. Daha ne olduğunu anlayamadan, bütün hayvanlar dehşete kapılarak çığlıklar atmaya başladılar: Yel değirmeni yıkılmıştı.

Hep birlikte yel değirmeninin oraya koşuştular. Koşar adım yürüdüğü bile görülmemiş olan Napoleon en önde tozu dumana katmıştı. Nice uğraş verip onca emek harcadıkları yel değirmeni yerle bir olmuş, binbir güçlükle kırıp taşıdıkları taşlar dört bir yana dağılmıştı. Dilleri tutulmuşçasına, orada öyle durmuş, çevreye saçılmış taşlara bakakalmışlardı. Napoleon, ikide bir toprağı koklayarak sessizce volta atıyor, dimdik olmuş kuyruğunu hızlı hızlı iki yana sallamasına bakılırsa beyninde şimşekler çakıyordu. Birden, kararını vermişçesine durdu.

Sesini yükseltmeden, "Yoldaşlar," dedi. "Bu işi kim yaptı biliyor musunuz? Geceleyin buraya gelip yel değirmenimizi yıkan düşmanın kim olduğunu biliyor mu-

77

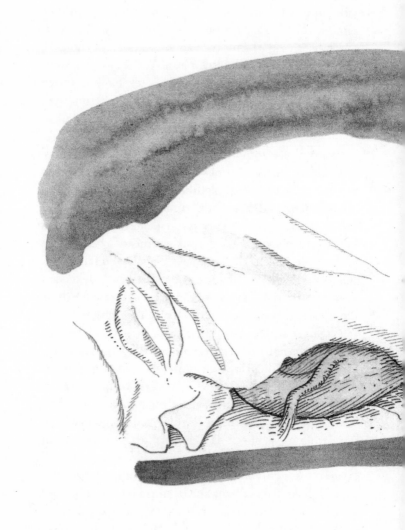

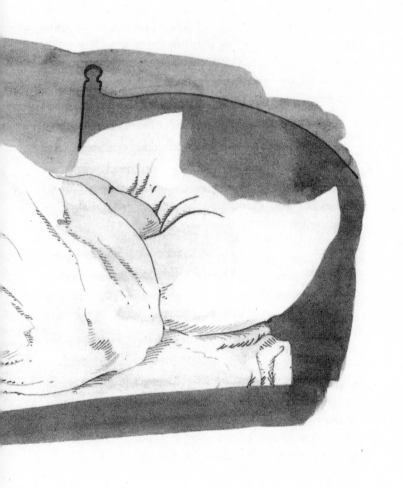

sunuz?" Sonra birden gürledi: "Snowball! Snowball'un işi bu! Bu hain, sırf kötülük etmek için, planlarımızı bozmak ve aşağılanarak kovuluşunun intikamını almak için, gecenin karanlığına sığınarak buraya kadar geldi ve bir yıllık emeğimizi yok etti. Yoldaşlar, Snowball'u şu anda idam cezasına çarptırmış bulunuyorum. Ona hak ettiği cezayı veren hayvana, 'İkinci Dereceden Kahraman Hayvan' nişanı ve yarım kova elma. Onu sağ getirene bir kova elma!"

Snowball'un böyle bir suç işleyebileceğini o güne kadar akıllarının ucundan bile geçirmemiş olan hayvanlar donakalmışlardı. Öfkeyle homurdanıyorlar, bir daha gelecek olursa Snowball'u nasıl yakalayacaklarını hesaplıyorlardı. Az sonra, küçük tepenin biraz ilerisinde otlar arasında bir domuzun ayak izlerine rastlandı. İzler birkaç metre sürüyor, anlaşıldığı kadarıyla çitteki bir deliğe kadar geliyordu. Napoleon uzun uzun kokladıktan sonra izlerin Snowball'a ait olduğunu açıkladı. Snowball'un, Foxwood Çiftliği'nin bulunduğu yönden geldiğini tahmin ediyordu.

Napoleon, ayak izlerini inceledikten sonra, "Vakit kaybetmeyelim, yoldaşlar!" diye bağırdı. "Yapılacak çok işimiz var. Bu sabahtan başlayarak yel değirmenini yeniden inşa edeceğiz. Kış boyunca kar çamur demeden çalışacağız. Bu alçak haine, bizi o kadar kolay alt edemeyeceğini göstereceğiz. Aklınızdan çıkarmayın, yoldaşlar, planlarımızda en küçük bir aksama olmamalı, günü gününe uygulanmalı bütün planlar. Haydi, yoldaşlar! Yaşasın yel değirmeni! Yaşasın Hayvan Çiftliği!"

Yedinci bölüm

Kış çok sert geçti. Fırtınaların ardından, önce sulu-
sepken, sonra kar geldi, daha sonra da her yer şubat ayı-
na kadar buzla kaplandı. Hayvanlar, tüm dış dünyanın
gözlerini Hayvan Çiftliği'ne diktiğini, yel değirmeni za-
manında tamamlanmayacak olursa kıskanç insanların
sevinçten bayram edeceklerini bildiklerinden var güçle-
riyle çalışıyorlardı.

İnsanlar, sırf inat olsun diye, yel değirmenini Snow-
ball'un yıktığına inanmamış görünüyorlar; yel değirme-
ninin, duvarları çok ince örüldüğü için çöktüğünü söy-
lüyorlardı. Gerçi hayvanlar bunun doğru olmadığını
bilmiyor değildiler, ama daha önce kırk beş santim ka-
lınlığında olan duvarların bu kez doksan santim kalınlı-
ğında örülmesi kararlaştırılmıştı; bu da, çok daha fazla
taş taşımayı gerektiriyordu. Taşocağı uzun bir süre kar
altında kaldığından hiçbir şey yapılamadı. Daha sonra
hava ayaza çevirip don yaptığında yeniden çalışmaya
koyuldular, ama büyük güçlüklerle karşılaşıyorlardı, es-
kisi kadar umutlu değildiler. Soğuktan donuyorlar, çoğu
zaman aç açına çalışıyorlardı. Yalnızca Boxer ile Clover
cesaretlerini yitirmemişlerdi. Squealer halka hizmet et-
menin mutluluğu ve emeğin onuru üstüne müthiş
söylevler çekiyor, Boxer'ın gücü ve hiç vazgeçmediği

"Daha çok çalışacağım!" çığlıkları hayvanları kışkırtıp coşturuyordu.

Ocak ayında yiyecekler tükenmeye yüz tuttu. Tahıl tayınları iyiden iyiye azaltıldı ve açığı gidermek için fazladan patates verileceği açıklandı. Ama çok geçmeden, üstleri yeterince örtülmediği için patateslerin donmuş olduğu anlaşıldı. Yumuşayıp bozulmuş olan patateslerin pek azı yenilebilir durumdaydı. Günlerce, kabuk ve pancardan başka bir şey yemediler. Artık açlıktan ölmenin eşiğine gelmişlerdi.

Bu durumun dış dünyadan kesinlikle gizlenmesi gerekiyordu. Yel değirmeninin yıkılmasından cesaret bulan insanlar, Hayvan Çiftliği'yle ilgili yeni yeni yalanlar uyduruyorlardı. Gene, tüm hayvanların kıtlık ve hastalıktan kırılmakta olduğu, durmadan birbirleriyle dalaştıkları, yamyamlığın alıp yürüdüğü, yeni doğan yavruların boğazlandığı söylentileri yayılmıştı. Napoleon, yiyecek durumuyla ilgili gerçekler öğrenilirse ortaya çıkabilecek kötü sonuçları çok iyi kestirebildiği için, tam tersi bir etki yaratmak üzere Bay Whymper'ı kullanmaya karar verdi. O güne kadar, hayvanlar, her hafta çiftliğe gelen Whymper'la ya pek az karşılaşıyor ya da hiç karşılaşmıyorlardı. Oysa bu kez, koyunların çoğunlukta olduğu bir grup hayvana, Bay Whymper'ın yakınında dolanmaları ve aralarında konuşuyormuş gibi yaparak, ama onun duyabileceği bir sesle tayınların artırıldığından söz etmeleri tembihlendi. Napoleon, ambarda neredeyse bomboş duran kovalara kum doldurulmasını, kumun üzerinin de elde kalan tahıl ve yemlerle örtülmesini buyurdu. Whymper bir bahane bulunarak ambara götürüldü ve ağzına kadar dolu kovaları göz ucuyla da olsa görmesi sağlandı. Napoleon'un numarasını yutan Whymper, her gittiği yerde Hayvan Çiftliği'nde yiyecek sıkıntısı olmadığını anlatmaya başladı.

Gene de, ocak ayının sonlarına doğru, bir yerlerden biraz daha tahıl almak kaçınılmaz oldu. O günlerde Napoleon pek ortalıkta görünmüyor, kapısında korkunç köpeklerin beklediği çiftlik evinden dışarı adımını atmıyordu. Dışarı çıktığı zaman da, korumalığını üstlenen altı köpek eşliğinde, kimseye yüz vermeden dolanıp duruyor, fazla yaklaşan olursa köpekler hemen hırlıyorlardı. Artık pazar sabahları yapılan toplantılara da pek katılmayan Napoleon, buyruklarını öteki domuzlardan biriyle, genellikle de Squealer'la iletiyordu.

Bir pazar sabahı, Squealer, daha yeni yumurtlayacak olan tavukların yumurtalarını çiftlik yönetimine vermeleri gerektiğini bildirdi. Napoleon, Whymper'ın aracılık ettiği bir sözleşmeyi imzalamıştı; sözleşmeye göre, haftada dört yüz yumurta teslim etmeleri gerekiyordu. Yumurtaların parasıyla, yaz gelip de durumlar düzelinceye kadar çiftliği geçindirecek tahıl ve yemi alacaklardı.

Tavuklar haberi duyar duymaz ortalığı birbirine kattılar. Gerçi daha önce bu tür bir özverinin gerekebileceği konusunda uyarılmışlardı, ama doğrusu bir gün bunun gerçek olabileceğine pek inanmamışlardı. Yumurtaların, tam da ilkbahar kuluçkasına hazırlandıkları sırada alınması cinayet değil de neydi? Jones'un çiftlikten kovuluşundan bu yana ilk kez ayaklanmaya benzer bir şey meydana geldi. Siyah Minorca cinsi üç pilicin önderliğindeki tavuklar, Napoleon'un buyruğuna kararlılıkla karşı koydular. Çatı kirişlerine tüneyip orada yumurtluyorlar, yumurtalar da yere düşüp kırılıveriyordu. Napoleon, hiç kuşkusuz, hızla ve acımasızca önlem almakta gecikmedi. Tavukların tayınlarının kesilmesini emretmekle yetinmedi, tavuklara azıcık da olsa yem vermeye kalkışan bütün hayvanların idam cezasına çarptırılmasını öngören bir kararname de çıkarttı. Buyruklara uyulmasını köpekler sağlayacaktı. Tavuklar, beş gün kadar direndilerse de,

sonunda teslim olarak folluklarına döndüler. Bu arada ölen dokuz tavuk meyve bahçesine gömülmüş, tavukların kanlı ishalden öldükleri söylenmişti. Whymper'ın olup bitenlerden haberi bile olmamıştı; yumurtalar vaktinde teslim ediliyor, haftada bir çiftliğe kadar gelen bir yük arabası yumurtaları alıp götürüyordu.

Bu arada, Snowball hiç ortalıkta görünmemiş; komşu çiftliklerden birinde, ya Foxwood'da ya da Pinchfield' da saklandığı söylentileri yayılmıştı. Artık Napoleon'un öteki çiftçilerle arası biraz düzelmişti. Avluda, on yıl kadar önce bir akgürgen korusu açılırken kesildikleri için artık iyice kurumuş olan koca bir kereste yığını duruyordu. Whymper, Napoleon'a bunları satmasını salık vermişti; Bay Pilkington da, Bay Frederick de keresteleri almaya can atıyorlardı, ama Napoleon hangisine satacağına bir türlü karar veremiyordu. Frederick'le anlaşır gibi olduğunda Snowball'un Foxwood Çiftliği'nde saklandığı haberi geliyor, Pilkington'a yönelir gibi olduğunda Snowball'un Pinchfield Çiftliği'nde gizlendiği söylentisi yayılıyordu.

İlkbaharın ilk günleriydi; ansızın duyulan bir haber ortalığı birbirine kattı: Snowball hava karardıktan sonra gizlice çiftliğe geliyordu! Hayvanlar öylesine tedirgin olmuşlardı ki, geceleri gözlerine uyku girmiyordu. Söylenenlere bakılırsa, Snowball her gece karanlıktan yararlanarak çiftliğe giriyor, yapmadığı uğursuzluk kalmıyordu. Tahılları çalıyor, süt kovalarını deviriyor, yumurtaları kırıyor, fidelikleri çiğneyip eziyor, meyve ağaçlarının kabuklarını kemiriyordu. Artık çiftlikte bir iş ters gitmeye-görsün, suç hemen Snowball'a yükleniyordu. Bir cam kırılsa ya da bir oluk tıkansa, Snowball'un gece gene çiftliğe geldiği, bu işi mutlaka onun yaptığı söyleniyordu. Bir gün ambarın anahtarı kaybolunca, bütün çiftlik Snowball'un anahtarı kuyuya attığı söylentisine inandı.

İşin garibi, kaybolan anahtar un çuvalının altından çıktığında bile, hayvanlar bu söylentiye inanmaktan vazgeçmediler. İnekler, Snowball'un gizlice ahırlarına girdiğini ve uykularında sütlerini sağdığını bile söylediler. O kış çiftliğe çok zarar vermiş olan sıçanların da Snowball'la işbirliği içinde oldukları söyleniyordu.

Snowball'un çevirdiği dolaplarla ilgili sıkı bir soruşturma açılması gerektiğine karar veren Napoleon, köpeklerini yanına alıp çiftlik binalarını dolaşmaya, en kuytu köşelere varıncaya kadar her yeri yoklayıp araştırmaya koyuldu; öteki hayvanlar da saygılı bir uzaklıktan onu izliyorlardı. Snowball'un izini kokusundan bulabileceğini ileri süren Napoleon, birkaç adımda bir durup yeri kokluyordu. Samanlığın, inek ağılının, kümeslerin, bostanın koklamadık köşesini bırakmadı ve hemen her yerde Snowball'un izine rastladı. Uzun burnunu yere dayayıp hızlı hızlı kokluyor, sonra da ürkünç bir sesle, "Snowball! Buradan geçmiş! Bu onun kokusu!" diye bağırıyordu. Napoleon'un her "Snowball!" diye bağırışında, köpekler dişlerini göstererek adamın kanını donduran hırıltılar çıkarıyorlardı.

Hayvanlar cin çarpmışa dönmüşlerdi. Snowball sanki görünmez olmuş her an çevrelerinde dolanıyor, ne zaman ne kötülük yapacağı kestirilemiyordu. Squealer, akşamleyin bütün hayvanları bir araya topladı ve kaygılı bir sesle, önemli haberleri olduğunu söyledi.

Tedirginlikle oradan oraya sıçrayarak, "Yoldaşlar!" diye bağırdı. "Dehşet verici bir haber aldık. Satılmış Snowball, Pinchfield Çiftliği'nin sahibi Frederick'le birlik olmuş! Frederick, bize saldırıp çiftliğimizi elimizden almayı planlıyormuş! Saldırı başladığında, Snowball kılavuzluk yapacakmış. Dahası var. Snowball'un burnu büyüklüğü ve açgözlülüğü yüzünden isyan ettiğini sanmıştık. Oysa yanılmışız, yoldaşlar. Gerçek neden neymiş biliyor musunuz? Snowball daha başından Jones'un adamıymış! Başından beri Jones'un gizli ajanıymış. Ardında bıraktığı belgeleri az önce ele geçirdik ve her şey ortaya çıktı. Bana kalırsa, her şey gün gibi açık, yoldaşlar. Ağıl Savaşı'nda bozguna uğrayıp yok olmamız için ne dolaplar çevirdiğini gözlerimizle görmemiş miydik zaten? Neyse ki becerememişti."

Hayvanlar apışıp kalmışlardı. Yel değirmenini yıkmaktan çok daha büyük bir ihanetti bu. Ama ilk şaşkınlıkları geçer geçmez, Ağıl Savaşı'nda Snowball'un en ön saflarda nasıl yiğitçe çarpıştığını, geri çekilmeye kalktıklarında kendilerini nasıl toparlayıp yüreklendirdiğini, Jones'un tüfeğinden çıkan saçmalarla sırtından yaralandığı zaman bile nasıl ileri atıldığını anımsadılar ya da anımsar gibi oldular. Snowball'un savaştaki yararlıkları ile Jones'un gizli ajanı olmasını bağdaştırmak biraz zordu doğrusu. Pek az soru soran Boxer'ın bile kafası karışmıştı. Yere uzandı, ön ayaklarını altına aldı; gözlerini yummuş, kafasını toparlamaya çalışıyordu.

"Ben buna inanmıyorum," dedi. "Snowball, Ağıl Savaşı'nda aslanlar gibi çarpıştı. Gözlerimle gördüm. Savaş biter bitmez, ona 'Birinci Dereceden Kahraman Hayvan' nişanı vermedik mi?"

Squealer, "Yanılmışız, yoldaş," diye karşılık verdi. "Aslında bizi yıkıma sürüklemeye çalışıyormuş meğer; ele geçirdiğimiz gizli belgeler her şeyi açıklıyor."

"Ama yaralanmıştı," dedi Boxer. "Kanlar içinde oradan oraya koştuğunu hepimiz gördük."

"Danışıklı dövüşmüş!" diye bağırdı Squealer hoplaya zıplaya. "Saçmalar sıyırıp geçmiş aslında. Okuma bilseydin, kendi yazısını gösterirdim sana; o zaman her şeyi anlardın. Snowball'un tüm kirli çamaşırları ortaya çıktı: Bir punduna getirip geri çekilme emri verecek ve meydanı düşmana bırakacakmış da haberimiz yokmuş. Az kalsın başarıyormuş da. Aslında, hiç kuşkum yok yoldaş-lar, eğer yiğit önderimiz Napoleon Yoldaş olmasaydı, mutlaka yapardı yapacağını. Jones ve adamları avluya daldıklarında, Snowball'un birden dönüp kaçmaya baş-ladığını, birçok hayvanın da onun ardından gittiğini unut-tunuz mu? İşte tam o anda, hepimizin paniğe kapıldığı ve savaşı kaybettiğini sandığı sırada, Napoleon Yoldaş'ın 'İnsanlığa Ölüm!' diye haykırarak nasıl ileri atıldığını, dişlerini Jones'un bacağına nasıl geçirdiğini anımsamıyor musunuz? Bunu *unutmuş olamazsınız*, yoldaşlar!"

Squealer sahneyi bu kadar canlı bir biçimde anla-tınca, hayvanlar da gerçekten anımsar gibi oldular. En azından, savaşın o can alıcı anında Snowball'un geri dö-nüp tabanları yağladığını anımsıyorlardı. Ama Boxer'da hâlâ bir tedirginlik seziliyordu.

Sonunda baklayı ağzından çıkardı: "Snowball'un da-ha başından hain olduğuna inanmıyorum. Sonradan yap-tıklarına bir diyeceğim yok. Ama Snowball'un Ağıl Sa-vaşı'nda tam bir yoldaş gibi davrandığı inancındayım."

Squealer, kısık, ama kararlı bir sesle, "Bak, yoldaş," dedi. "Önderimiz Napoleon Yoldaş, Snowball'un ta ba-şından beri, üstelik ortalıkta daha Ayaklanma'nın lafı bi-le yokken Jones'un ajanı olduğunu tartışılmaz bir biçim-de, evet tartışılmaz bir biçimde açıklamış bulunuyor."

Bunun üzerine, "Ha, o zaman başka!" dedi Boxer. "Napoleon Yoldaş öyle dediyse öyledir."

Squealer, "İşte, ben yoldaşlık ruhu diye buna derim!" diye bağırdı. Ama durmadan kırpıştırdığı ufacık gözle-riyle, Boxer'a kötü kötü baktığı da gözlerden kaçmadı. Tam dönmüş gidiyordu ki, birden durdu ve etkileyici bir sesle ekledi: "Bu çiftlikteki bütün hayvanları uyarırım, gözünüzü dört açın. Snowball'un ajanlarının şu anda bi-le ellerini kollarını sallayarak aramızda dolaştıkları bes-belli!"

Dört gün sonra, akşama doğru, Napoleon bütün hayvanların avluda toplanmasını emretti. Herkes toplandığında, göğsünde madalyalarıyla (bir süre önce, kendisine hem "Birinci Dereceden Kahraman Hayvan", hem de "İkinci Dereceden Kahraman Hayvan" nişanlarını vermişti) Napoleon belirdi; dokuz iri köpek de çevresinde dolanıyor, ikide bir hırlayarak tüm hayvanların yüreğine korku salıyorlardı. Çok kötü bir şey olacağını sezmişçesine, herkes sessizce yere çöktü.

Napoleon, orada dikilmiş, sert bakışlarla topluluğu süzüyordu; sonra ansızın tiz bir çığlık attı. Köpekler, çığlığı işitir işitmez, fırladıkları gibi domuzlardan dördünü kulaklarından yakaladılar, acıdan ve korkudan ciyak ciyak bağıran hayvancıkları sürüyüp Napoleon'un ayaklarının dibine bıraktılar. Domuzların kulaklarından kanlar akıyordu, kanın tadını almış olan köpekler çılgına dönmüşlerdi. Birden, köpeklerden üçü, herkesin şaşkın bakışları arasında Boxer'ın üstüne atıldı. Boxer, üstüne geldiklerini görür görmez, kocaman ön ayağını kaldırıp köpeklerden birini havada yakaladı ve yere çarptı. Yere yapışan köpek çığlık çığlığa merhamet dilenirken, öteki iki köpek kuyruklarını bacaklarının arasına kıstırıp tabanları yağladı. Boxer'ın gözü Napoleon'daydı; köpeği ezip gebertmeli miydi, yoksa salıp koyvermeli miydi? Napoleon'un suratı allak bullak olmuştu; Boxer'a, sert bir sesle, köpeği salıvermesini emretti. Bunun üzerine Boxer ayağını köpeğin üstünden çekti, köpek de acı iniltiler çıkararak sıvıştı oradan.

Az sonra ortalık sakinleşmişti. Suçlulukları yüzlerinden okunan dört domuz, tir tir titreyerek bekleşiyorlardı. Napoleon, onlara dönerek suçlarını itiraf etmelerini istedi. Bunlar, Napoleon'un pazar toplantılarını kaldırmasına karşı çıkmış olan domuzlardı. Fazla direnmeden her şeyi itiraf ettiler: Çiftlikten kovulduğu günden beri gizlice görüştükleri Snowball ile yel değirmeninin yıkılmasında işbirliği yapmışlar, Hayvan Çiftliği'nin Bay Frederick'e aktarılması konusunda anlaşmaya varmışlardı. Snowball'un, yıllardır Jones'un gizli ajanı olduğunu kendilerine itiraf ettiğini de söylemekten geri kalmadılar. İtirafları tamamlanır tamamlanmaz, köpekler üstlerine atılıp boğazlayıverdiler. Sonra, Napoleon yeniden topluluğa dönerek, korkunç bir sesle, "İtirafta bulunacak başka hayvanlar varsa, ortaya çıksınlar," dedi.

Yumurta isyanında başı çekmeye kalkışmış olan üç tavuk öne çıkıp rüyalarında Snowball'un kendilerini Napoleon'un buyruklarını dinlememeye çağırdığını açıkladılar. Ve o saat köpekler tarafından gırtlaklandılar. Ardından, bir kaz çıktı ortaya ve geçen hasatta çalıp gizlediği altı buğday başağını geceleri gizli gizli yediğini itiraf etti. Sonra, koyunlardan biri, Snowball'un isteği üzerine, yalağa işediğini açıkladı. İki koyun da, Napoleon'a bağlılığıyla tanınan yaşlı bir koçu, öksürük nöbetleri tuttuğu bir sırada ateşin çevresinde kovalayarak öldürdüklerini itiraf ettiler. Hepsi de oracıkta boğazlandı. İtiraflar ve idamlar böylece sürüp gitti. Sonunda bir de baktılar, Napoleon'un ayakları dibinde cesetten geçilmiyor. Ortalığı kan kokusu kaplamıştı. Jones'un kovulduğu günden bu yana çiftlikte böyle bir koku duyulmamıştı.

Her şey bittikten sonra, domuzlar ve köpekler dışında bütün hayvanlar birbirlerine sokularak oradan uzaklaştılar. Kuyruklarını kısmışlar, tir tir titriyorlardı. Hangisinin daha korkunç olduğunu kestiremiyorlardı: Snowball'la birlik olan hayvanların ihaneti mi, yoksa az önce tanık oldukları acımasız misillemeler mi? Eskiden de böyle kanlı kıyımlara az tanık olmamışlardı, ama hiç değilse birbirlerini boğazlamıyorlardı. Jones kovuldu kovulalı, bir hayvanın başka bir hayvanı öldürdüğü görülmemişti. Bir sıçan bile öldürülmemişti. Yarısı tamam-

lanmış yel değirmeninin bulunduğu küçük tepenin ora-
ya vardıklarında, sanki ısınmaya çalışıyormuşçasına bir-
birlerine yanaşarak yere uzandılar. Clover, Muriel, Ben-
jamin, inekler, koyunlar, kazlar, tavuklar, herkes oradaydı.
Bir tek, Napoleon'un tüm hayvanların toplanmasını bu-
yurmasından az önce ansızın ortalıktan kaybolmuş olan
kedi yoktu aralarında. Bir süre kimse konuşmadı. Yalnız
Boxer ayaktaydı. Yerinde duramıyor, uzun siyah kuyru-
ğunu iki yana sallayıp duruyor, şaşkınlık içinde hafif ha-
fif kişniyordu. Sonunda dedi ki:

"Olup bitene akıl sır erdiremiyorum. Kırk yıl dü-
şünsem çiftliğimizde böyle şeyler olacağı aklıma gel-
mezdi. Bir yanlış yapmış olmalıyız. Bana sorarsanız, tek
çıkar yol, daha sıkı çalışmak. Ben kendi payıma, bundan
böyle sabahları bir saat daha erken kalkacağım."

Olanca hantallığıyla tırısa kalkıp taşocağının yolunu
tuttu. Oraya vardığında, arabayla iki posta taş taşıdı yel
değirmenine, sonra da gidip yattı.

Hayvanlar Clover'ın çevresine toplaşmışlardı, kim-
senin ağzını bıçak açmıyordu. Bulundukları tepeden, çe-
peçevre uzanıp giden kırları görebiliyorlardı. Hayvan
Çiftliği'nin büyük bir bölümü görüş alanlarındaydı: ana-
yola kadar uzanan otlak, biçilip kurutulmuş otlar, koru,
yalak, sürülmüş tarlalarda filiz vermeye başlamış gür, ye-
şil ekinler, çiftlik binalarının kırmızı damları ve dumanı
tüten bacalar... Pırıl pırıl bir ilkbahar akşamıydı. Güneş
ışınlarının vurduğu çimenler ve yaprak fışkıran çitler ışıl
ışıldı. Çiftlik gözlerine hiç bu kadar güzel görünmemişti.
Birden, burasının kendi çiftlikleri olduğunu hatırladılar;
bu toprakların her bir karışı onlarındı. Tepeden aşağılara
bakarken, Clover'ın gözleri yaşardı. Düşüncelerini dile
getirebilse, yıllar önce insan soyunu alaşağı etmek üzere
yola çıktıklarında, hedeflerinin asla bu olmadığını söyle-
yecekti. Koca Reis'in ilk Ayaklanma çağrısını yaptığı o

gece düşledikleri, bu şiddet ve kıyım olabilir miydi? Kendisinin gözünde canlandırdığı gelecekte, hayvanların açlık ve kırbaçtan kurtuldukları, herkesin eşit olduğu, herkesin kendi gücüne göre çalıştığı ve Koca Reis'in konuştuğu gece yolunu şaşırmış ördek yavrularına kucak açtığı gibi güçlülerin zayıfları koruduğu bir toplum vardı. Oysa, nedendir bilinmez, kimsenin düşüncesini açıklamaya cesaret edemediği, her yerde azgın, yabanıl köpeklerin hırlayarak kol gezdiği, yoldaşlarının korkunç suçları itiraf ettirildikten sonra paramparça edilişini seyretmek zorunda kaldıkları bir toplum çıkmıştı ortaya. Ama aklından, ayaklanalım ya da başkaldıralım gibisinden düşünceler geçmiyordu. Şu içinde bulundukları durumun bile Jones'un zamanındakinden çok daha iyi olduğunu ve her şeyden önce insanların çiftliğe geri dönmelerinin önlenmesi gerektiğini biliyordu. Ne olursa olsun yönetime bağlı kalacak, kendisine verilen emirleri harfi harfine yerine getirecek ve Napoleon'un önderliğini kabullenecekti. Ama gene de, onca umudun, onca emeğin karşılığı bu olmamalıydı. Yel değirmenini onca güçlükle inşa etmelerinin, Jones'un tüfeğinden çıkan saçmalara göğüslerini germelerinin karşılığı bu mu olmalıydı? Böyle düşünüyor, ama aklından geçenleri söze döküp dile getiremiyordu.

Sonunda bir bakıma, dile getiremediği sözcüklerin yerini tutacağını düşünerek, *İngiltere'nin Hayvanları* şarkısını söylemeye başladı Clover. Çevresinde oturmakta olan öteki hayvanlar da şarkıya katıldı. Şarkıyı tam üç kez, üstelik çok güzel okudular; ama hiç bu kadar ağır ve hüzünlü söyledikleri görülmemişti.

Tam bitirmişlerdi ki, yanında iki köpekle Squealer göründü; belli ki, önemli bir şey diyecekti. Yanlarına geldiğinde, Napoleon Yoldaş'ın özel bir kararıyla, *İngiltere'nin Hayvanları* şarkısının yürürlükten kaldırıldığını

açıkladı. Artık *İngiltere'nin Hayvanları*'nı söylemek yasaktı.

Hayvanlar şaşırmışlardı.

Muriel, "Niçin?" diye bağırdı.

Squealer, diklenerek, "Artık gereği kalmadı, yoldaş," dedi. "*İngiltere'nin Hayvanları*, Ayaklanma'nın şarkısıydı. Ayaklanma artık tamamlandı. Bugün öğleden sonra hainlerin idam edilmesi son aşamaydı. Hem içteki, hem de dıştaki düşmanlar yenilgiye uğratıldı. *İngiltere'nin Hayvanları* şarkısında, gelecekte kurulacak daha güzel bir topluma özlemimizi dile getiriyorduk. O toplum artık kurulmuş olduğuna göre, bu şarkının bir anlamı kalmamıştır."

Çok korkmuş olmalarına karşın hayvanlardan bazıları karşı çıkmaya hazırlanıyorlardı ki, koyunların her zamanki gibi, "Dört ayak iyi, iki ayak kötü!" diye melemeye başlamaları tartışmayı başlamadan bitirdi.

O günden sonra *İngiltere'nin Hayvanları* şarkısı bir daha hiç duyulmadı. Onun yerine, şair Minimus başka bir şarkı bestelemişti. Şarkı şöyle başlıyordu:

Hayvan Çiftliği, Hayvan Çiftliği, inan,
Benden sana zarar gelmez hiçbir zaman!

Yeni şarkı, her pazar bayrak göndere çekildikten sonra söyleniyordu. Ama nedense hayvanlar, bestesini de, güftesini de, *İngiltere'nin Hayvanları* kadar sevememişlerdi.

Sekizinci bölüm

Birkaç gün sonra, idamların yol açtığı yılgı yatıştığında, bazı hayvanlar Altıncı Emir'i anımsadılar ya da anımsar gibi oldular: "Hiçbir hayvan başka bir hayvanı öldürmeyecek." Gerçi hiç kimse domuzların ya da köpeklerin yanında ağzını açmıyordu, ama herkes cinayetlerin bu emre uymadığının farkındaydı. Clover, Benjamin'den, kendisine Altıncı Emir'i okumasını istediyse de, Benjamin her zaman yaptığı gibi bu tür işlere bulaşmak istemediğini söyleyerek kıvırttı. Clover da Muriel'i buldu. Muriel, Altıncı Emir'i şöyle okudu: "Hiçbir hayvan başka bir hayvanı *sebepsiz yere* öldürmeyecek." Anlaşılan, *sebepsiz yere* sözcükleri her nasılsa hayvanların belleğinden silinmişti. Demek, Altıncı Emir çiğnenmiş değildi; çünkü Snowball'la birlik olan hainler *sebepsiz yere* öldürülmemişlerdi.

O yıl hayvanlar bir önceki yıldan çok daha fazla çalıştılar. Bir yandan yel değirmeninin, hem de duvarlarının kalınlığı iki katına çıkartılarak yeniden inşa edilmesi ve inşaatın önceden belirlenen tarihte tamamlanması; öte yandan çiftliğin gündelik işlerinin yürütülmesi, olağanüstü bir çaba gerektirmişti. Hayvanlar, zaman zaman, Jones'un döneminde olduğundan daha fazla çalışmalarına karşın daha iyi beslenmediklerini fark eder gibi oldular. Squealer, pazar sabahları, ayağıyla tuttuğu uzun bir kâğıt parçasından birtakım rakamlar okuyarak, çeşitli gıda maddelerinin üretiminin yüzde iki yüz, yüzde üç yüz, yüzde beş yüz arttığını açıklıyordu. Hayvanlar, Ayaklanma'dan önceki koşulları artık doğru dürüst anımsamadıklarından, ona inanmamak için bir neden göremiyorlardı. Ama gene de, öyle günler oluyordu ki, daha az rakam dinleyip daha çok yemek yiyeceğimiz günleri ne zaman göreceğiz, diye düşünmeden edemiyorlardı.

Artık bütün emirler Squealer ya da öteki domuzlardan biri tarafından iletiliyordu. Napoleon ancak on beş günde bir halkın arasına çıkıyor, çıktığı zaman da yanında yalnızca köpeklerden oluşan maiyeti değil, siyah bir horoz da bulunuyordu. Horoz önden yürüyor ve Napoleon konuşmasına başlayacağı zaman bir borazancı gibi, avazı çıktığı kadar, "Ü-ürü-üüü!" diye ötüyordu. Napoleon'un, çiftlik evinde bile ötekilerden ayrı odalarda kaldığı söyleniyordu. Yemeklerini yalnız başına yerken, yanı başında iki köpek bekliyor; bir zamanlar oturma odasındaki cam dolapta duran Crown Derby yemek takımını kullanıyordu yalnızca. Bu arada öteki iki yıldönümünün yanı sıra, Napoleon'un doğumgününün de tören atışıyla kutlanacağı açıklanmıştı.

Artık kimse Napoleon'dan yalnızca "Napoleon" diye söz edemiyordu; resmî bir ağızla "Önderimiz Napoleon Yoldaş" denmesi gerekiyordu. Domuzlar ise ona *Tüm Hayvanların Babası, İnsanların Korkulu Rüyası, Koyunların Koruyucu Meleği, Yavru Ördeklerin Can Dostu* gibi unvanlar bulmakta birbirleriyle yarışıyorlardı. Squealer, gözlerinden yaşlar akarak yaptığı konuşmalarda, Napoleon'un ne kadar bilge, ne kadar iyi yürekli bir hayvan olduğundan, yeryüzündeki tüm hayvanlara, özellikle de öteki çiftliklerde hâlâ cehaletin karanlığında köle gibi yaşayan mutsuz hayvanlara ne kadar derin bir sevgi beslediğinden dem vuruyordu. Kazanılan her başarının, her sevindirici olayın Napoleon'a mal edilmesi artık bir alışkanlık olmuştu. Bir tavuğun başka bir tavuğa, "Önderimiz Napoleon Yoldaş olmasaydı, altı günde beş yumurta yumurtlayamazdım," dediği; gölden su içmekte olan iki ineğin, "Napoleon Yoldaş'ın önderliği olmasaydı, gölün suyu bu kadar tatlı olur muydu?" diye bağırdığı bile duyulmuştu. Çiftlikteki hayvanların bu konudaki duygu ve düşünceleri, Minimus tarafından kaleme alınan "Napoleon Yoldaş" adlı bir şiirde yankılandı:

Yetimlerin biricik babası!
Mutluluğumuzun pınarı!
Yem kovalarının sultanı!
Gökyüzündeki güneşi andırırsın,
Dingin ve buyurgan bakışınla
Yüreğime coşku salarsın,
Napoleon Yoldaş!

Kullarının sevdiği her şeyi
Sensin onlara bağışlayan,
İki öğün yemek, tertemiz saman döşek;
Büyük küçük her hayvan
Rahat uyur her akşam,
Sensin onları koruyup kollayan,
Napoleon Yoldaş!

Bir gün bir yavrum olursa,
Daha ufacık bir bebekken
Altı karış olmadan boyu
Öğrenmeli senin değerini bilmeyi,
Gözlerini açar açmaz dünyaya
Ciyak ciyak basmalı çığlığı:
"Napoleon Yoldaş!"

Napoleon, şiiri beğenip onayladı ve büyük samanlığın duvarına, Yedi Emir'in yanına yazdırdı. Napoleon'un, Squealer tarafından beyaz boyayla yapılmış profilden portresi de, şiirin yukarısına asıldı.

Bu arada Napoleon, Whymper aracılığıyla Frederick ve Pilkington ile karışık ilişkilere girmişti. Keresteler hâlâ satılmayı bekliyordu. Frederick, almaya daha istekli görünüyorsa da, uygun bir fiyat vermeye yanaşmıyordu. Kaldı ki yeniden dolaşmaya başlayan dedikodulara bakılırsa, Frederick, adamlarıyla birlikte Hayvan Çiftliği'ne saldırmayı ve çok kıskandığı yel değirmenini yerle bir etmeyi tasarlıyordu. Snowball'un da hâlâ Pinchfield Çiftliği'nde gizlendiği biliniyordu.

Yaz ortalarında, üç tavuğun, Napoleon'a karşı bir suikast hazırlığına katıldıklarını itiraf ettiklerini işiten hayvanlar büyük bir korkuya kapıldılar. Tavuklar hemen idam edildi ve Napoleon'un güvenliği için yeni önlemler alındı. Geceleri yatağının çevresinde köpekler nöbet tutuyor, yediği her yemek zehirli mi değil mi diye önceden Pinkeye adlı genç bir domuz tarafından tadılıyordu.

Aynı günlerde, Napoleon'un keresteleri Bay Pilkington'a satmaya karar verdiği açıklandı; ayrıca Hayvan Çiftliği ile Foxwood Çiftliği arasında bazı ürünlerin takası konusunda uygun bir anlaşma da yapılacaktı. Napoleon ile Pilkington arasındaki ilişkiler, yalnızca Whymper aracılığıyla yürütülmekle birlikte, artık neredeyse dostça bir niteliğe bürünmüştü. Gerçi hayvanlar, bir insan olarak Pilkington'a azıcık olsun güvenmiyorlardı, ama gene de onu, hem korktukları, hem de nefret ettikleri Frederick'e yeğliyorlardı. Yaz ilerleyip yel değirmeni yapımı sonuna yaklaştıkça, çiftliğin amansız bir saldırıya uğrayacağı söylentileri de arttı. Söylenenlere bakılırsa, Frederick, hepsi de silahlı yirmi adam toplamış ve Hayvan Çiftliği'nin tapu senetlerini eline geçirdiğinde sorgu sual etmesinler diye daha şimdiden yargıçlara ve polislere rüşvet yedirmişti. Dahası, Pinchfield Çiftliği'nden, Frederick'in hayvanlarına ne kadar acımasızca davrandığına ilişkin tüyler ürpertici bilgiler sızıyordu. Doğruysa, yaşlı bir beygiri öldürünceye kadar kırbaçlamış, inekleri günlerce aç bırakmış, köpeklerden birini ocağa atmıştı; akşamları, mahmuzlarına keskin jiletler taktığı horozları dövüştürmekten zevk alıyordu. Hayvanlar, yoldaşlarına yapılanları duydukça öfkeden kuduruyorlar, zaman zaman hep birlikte Pinchfield Çiftliği'ne saldırarak insanları kovup hayvanları özgür kılmak için kendilerine izin verilmesini istiyorlardı. Squealer ise, öfkeyle kalkarlarsa zararla oturacaklarını söylüyor, Napoleon Yoldaş'ın bilgi ve deneyimine güvenmelerini öğütlüyordu.

Gene de, Frederick'e duyulan nefret her geçen gün büyüyordu. Napoleon, bir pazar sabahı samanlığa gelerek, keresteleri Frederick'e satmayı aklının ucundan bile geçirmediğini, böylesine aşağılık yaratıklarla iş yapmayı onuruna yediremediğini açıkladı. Ayaklanma düşüncesini yaymaları için hâlâ komşu çiftliklere gönderilmekte olan güvercinlere Foxwood Çiftliği'ne ayak basmamaları tembihlenmiş, "İnsanlığa Ölüm" sloganını bırakıp "Frederick'e Ölüm" sloganını kullanmaları emredilmişti. Yaz sonuna doğru, Snowball'un çevirdiği dolaplardan biri daha ortaya çıktı. Bir süredir ekinlere musallat olan ayrıkotlarının sırrını kimse çözemiyordu; sonunda, Snowball'un bir gece gizlice çiftliğe girip buğday tohumlarına ayrıkotu tohumu karıştırdığı anlaşıldı. Snowball'a yardakçılık etmiş olan bir erkek kaz, suçunu Squealer'a itiraf ettikten sonra zehirli itüzümlerini yutarak canına kıydı. Bu arada hayvanlar, o güne kadar birçoğunun bildiğinin tersine, Snowball'un hiçbir zaman "Birinci Dereceden Kahraman Hayvan" nişanı almadığını da öğrendiler. Bu hikâyeyi, Ağıl Savaşı'ndan bir süre sonra Snowball kendisi uydurmuştu. Nişan verilerek ödüllendirilmek şöyle dursun, savaşta korkaklık gösterdiği için kınanmıştı. Hayvanlar, bütün bunları duyduklarında bir kez daha büyük bir şaşkınlığa kapılarak tepki gösterdiler. Ama Squealer, belleğin yanıltıcı olduğunu söyleyerek onları yatıştırmakta gecikmedi.

Yel değirmeni sonbaharda tamamlandı; ama hemen hemen aynı günlerde hasadın kaldırılması da gerektiği için yorgunluktan bitkin düştüler. Makineler henüz takılmamıştı, Whymper satın alma görüşmelerini yürütüyordu; ama yapı işi bitmişti. Deneyimsizliğe, kullanılan aletlerin ilkelliğine, talihsizliklere, Snowball'un ihanetine, sözün kısası her türlü güçlük ve engele karşın, işi tam belirlenen günde bitirmeyi başarmışlardı! Bedenleri yorgun, yürekleri övünç dolu hayvanlar, ortaya çıkardıkları başyapıtın çevresinde dönenip duruyorlar, ilk yapılandan çok daha güzel buldukları yel değirmenini seyrederken kendilerinden geçiyorlardı. Üstelik bu kez yel değirmeninin duvarları eskisinden iki kat daha kalındı. Bu duvarları dinamitten başka hiçbir şey yıkamazdı! Ne kadar çok emek verdiklerini, ne hayal kırıklıklarının üstesinden geldiklerini, çarklar dönüp dinamolar çalışınca hayatlarının ne kadar farklı olacağını düşündüklerinde, yorgunluk gövdelerinden akıp gitti; zafer naraları atarak yel değirmeninin çevresinde hoplaya zıplaya oynamaya başladılar. Biraz sonra, köpekleri ve horozuyla birlikte gelen Napoleon yel değirmenini denetledi, başarılarından dolayı hayvanları kutladı ve yel değirmeninin bundan böyle Napoleon Değirmeni adıyla anılacağını açıkladı.

İki gün sonra hayvanlar samanlıkta yapılacak özel bir toplantıya çağrıldılar. Toplantıda Napoleon, kerestelerin tümünü Frederick'e sattığını açıkladığı zaman apışıp kaldılar. Ertesi gün Frederick'in arabaları çiftliğe gelip keresteleri taşımaya başlayacaktı. Anlaşılan Napoleon, Pilkington'la dost görünürken, aslında Frederick'le çoktan gizlice anlaşmıştı bile.

Foxwood Çiftliği'yle bütün ilişkiler kesilmiş, Pilkington'a sövgü dolu bildiriler gönderilmişti. Güvercinlere, Pinchfield Çiftliği'ne uğramamaları ve "Frederick'e Ölüm" sloganını bırakıp "Pilkington'a Ölüm" sloganını kullanmaları tembihlenmişti. Bu arada, Napoleon, yakında Hayvan Çiftliği'ne karşı bir saldırı başlatılacağı yolundaki söylentilerin baştan aşağı düzmece olduğunu, Frederick'in hayvanlarına gaddarca davrandığı yolundaki masalların fazla abartıldığını anlattı hayvanlara. Bütün bu dedikoduları büyük bir olasılıkla Snowball ve ajanları çıkarmışlardı. Şimdi her şey açığa çıkmıştı: Snowball'un, Pinchfield Çiftliği'nde saklandığı falan yoktu, aslında hiçbir zaman orada bulunmamıştı; söylenenlere göre, büyük bir lüks içinde Foxwood Çiftliği'nde yaşıyor ve yıllardır Pilkington'ın uşaklığını yapıyordu.

Domuzlar, Pilkington'la dostluğu ilerletmiş görünerek Frederick'in kerestelere on iki sterlin daha fazla ödemesini sağlamış olan Napoleon'un kurnazlığına şapka çıkardılar. Ama Squealer'a kalırsa, Napoleon'un üstün zekâsının asıl göstergesi, hiç kimseye, Frederick'e bile güvenmemesiydi. Frederick, kerestelerin parasını, ödeme sözünün verildiği bir kâğıt parçasından başka bir şey olmayan çekle ödemeye kalkmış; ama Napoleon ondan akıllı çıkmış, ödemenin, keresteler taşınmadan önce beş sterlinlik banknotlarla yapılmasını şart koşmuştu. Sonunda, Frederick parayı gerçekten de istendiği gibi ödemişti; ödediği para, tam da yel değirmeni için gerekli makinelerin satın alınmasına yetecek kadardı.

Bu arada keresteler büyük bir hızla taşınıyordu. Hepsi taşındıktan sonra, hayvanların Frederick'in verdiği banknotları kendi gözleriyle görmeleri için büyük samanlıkta bir özel toplantı daha düzenlendi. İki nişanını

da takmış olan Napoleon kaygısızca sırıtıyordu; yükselti-
nin üzerindeki saman döşeğe uzanmıştı; çiftlik evinin
mutfağından getirtilen porselen çanağa özenle yerleştiril-
miş olan paralar yanı başındaydı. Hayvanlar, yavaş yavaş
önünden geçerek paraları yakından incelediler. Boxer,
burnunu uzatıp koklamaya kalkınca, incecik banknotlar
hışırtıyla yerinden oynadı.

Daha üç gün olmamıştı ki, çiftlik birbirine girdi. Bir-
den yolun oradan bisikletiyle Whymper çıkageldi; yüzü
kireç gibiydi; avluya girdiğinde bisikletini fırlatıp attı,
koşarak çiftlik evine daldı. Az sonra, Napoleon'un kaldı-
ğı odadan öfkeli böğürtüler işitildi. Haber, tüm çiftliğe,
önüne geçilemeyen bir yangın gibi yayıldı. Banknotlar
sahte çıkmıştı! Frederick keresteleri anafordan almıştı!

Napoleon, hayvanları hemen bir araya topladı; ür-
kütücü bir sesle, Frederick'i idam cezasına çarptırdığını,
yakalar yakalamaz diri diri kazana attıracağını bildirdi.
Öte yandan, hayvanları da, Frederick'in bu alçaklığından
sonra en korkulu durumlara karşı hazırlıklı olmaları ko-
nusunda uyardı. Frederick ve adamları, ne zamandır
beklenen saldırılarını her an başlatabilirlerdi. Çiftliğe gi-
rilebilecek her yere nöbetçiler yerleştirildi. Foxwood
Çiftliği'ne de dört güvercin salınarak, Pilkington'la yeni-
den dostça ilişkiler kurulmasını sağlayabileceği umulan
bir uzlaşma mektubu gönderildi.

Ertesi sabah saldırı başladı. Hayvanlar tam kahval-
tıya oturmuşlardı ki, tozu dumana katarak gelen göz-
cüler Frederick ve adamlarının ana kapıdan girdiklerini
bildirdiler. Hayvanlar, saldırganları karşılamak üzere ce-
saretle ileri atıldılar; ama bu kez zafere ulaşmak Ağıl Sa-
vaşı'nda olduğu kadar kolay görünmüyordu. Gelenler on
beş kişiydi, altısının tüfeği vardı; yaklaşık elli metre kala
ateş açtılar. Korkunç patlamalara ve canlarını yakan saç-
malara karşı duramayan hayvanlar çok geçmeden geri

çekilmek zorunda kaldılar. Napoleon ile Boxer, onları toparlamak için çok uğraştılarsa da para etmedi. Yaralananlar vardı. Çiftlik binalarına sığınmışlar, yarıklardan ve budak deliklerinden dışarıyı gözetliyorlardı. Büyük otlak ve yel değirmeni düşman eline geçmişti. Napoleon bile donakalmış, ne yapacağını şaşırmıştı. Sus pus olmuş, dik kuyruğunu hızlı hızlı oynatarak odanın içinde volta atıyordu. Gözler Foxwood Çiftliği yolundaydı. Pilkington ve adamları yardıma gelseler, paçayı kurtarabilirlerdi. Ama tam o sırada, bir gün önce saldıkları güvercinler geri döndüler. Birinin gagasında, Pilkington'dan bir pusula vardı. Pusulada kurşunkalemle yazılmış şu sözcükler okunuyordu: "Kendi düşen ağlamaz!"

Bu arada, Frederick ve adamları, yel değirmeninin çevresinde toplanmışlardı. Hayvanlar da, umarsız homurtular çıkararak onları izliyorlardı. İki adamın bir kol demiriyle bir balyoz çıkardığını gördüler. Yel değirmenini yıkmaya hazırlanıyorlardı.

"Hiçbir şey yapamazlar!" diye bağırdı Napoleon. "Onların balyozları bizim kalın duvarlarımıza işlemez. Bir hafta uğraşsalar gene yıkamazlar. Korkmayın, yoldaşlar!"

Ama Benjamin, gözünü dört açmış, adamların ne yaptıklarını anlamaya çalışıyordu. Bir de baktı, o iki adam kol demiri ve balyozla yel değirmeninin temeline yakın bir yerinde çukur açıyorlar. Uzun burnunu ağır ağır iki yana sallayarak bilgiççe gülümsedi. "Anlamıştım," dedi. "Görmüyor musunuz? Birazdan o çukura barut dolduracaklar."

Hayvanlar, korku içinde bekleşiyorlardı. Artık sığındıkları binalardan çıkmaya kalkışmaları olanaksızdı. Birkaç dakika sonra, adamların değirmenin oradan kaçıştıklarını gördüler. Hemen ardından, kulakları sağır eden bir gümbürtü koptu. Güvercinler havaya uçuştular, Napoleon dışında bütün hayvanlar kendilerini yüzükoyun yere atıp yüzlerini kapattılar. Ayağa kalktıklarında, yel değirmeninin bulunduğu yer kapkara dumanlara boğulmuştu. Duman rüzgârla dağıldığında, bir de baktılar, yel değirmeninin yerinde yeller esiyor!

Onca emeğin havaya uçtuğunu gören hayvanlara ansızın bir cesaret geldi. Bu alçaklık karşısında kapıldıkları öfke, az önceki korku ve umutsuzluklarını unutturmuştu. Korkunç bir intikam çığlığı yükseldi. Kimsenin emrini beklemeden, hep birlikte düşmanın üstüne atıldılar. Artık, dolu gibi yağan saçmalara aldırmıyorlardı. Yabanıl, amansız bir savaş oldu. Adamlar önce art arda ateş ettiler, hayvanlar iyice yakına geldiklerinde de sopaları ve kalın botlarıyla vurmaya başladılar. Bir inek, üç koyun ve iki kaz oracıkta can verdi. Hemen herkes yaralıydı. Geriden harekâtı yönetmekte olan Napoleon'un bile, oraya kadar gelen bir saçmayla kuyruğunun ucu sıyrılmıştı. Ama adamlar da az kayıp vermemişti. Boxer attığı çiftelerle üçünün kafası patlatmış, inek boynuzlarıyla birinin karnını deşmiş, Jessie ile Bluebell de dişleriyle birinin pantolonunu paramparça etmişlerdi. Napoleon'un korumalığını üstlenen dokuz köpek, aldıkları buyrukla çitin arkasından dolanıp ansızın ürkünç havlamalarla kanattan saldırdıklarında, adamlar paniğe kapıldılar. Kuşatılmak üzere olduklarını fark etmişlerdi. Frederick, adamlarına, işler iyice sarpa sarmadan çiftliği terk etmelerini buyurdu. Az sonra, korkak düşmanlar arkalarına bakmadan kaçıyorlardı. Hayvanlar, tarlanın aşağılarına kadar kovaladılar adamları; dikenli çitten geçmeye çalışırlarken son birkaç tekme daha atmaktan geri kalmadılar.

Savaşı kazanmışlardı, ama bitkindiler, tepeden tırnağa kanlara bulanmışlardı. Topallaya topallaya, gerisin geri çiftliğin yolunu tuttular. Bazıları, çimenler üzerinde yatan ölü yoldaşlarını görünce gözyaşlarına boğuldular. Bir zamanlar yel değirmeninin bulunduğu yerde, saygılı bir suskunluk içinde kısa bir süre öyle durdular. Evet, onca emek boşa gitmiş, değirmenin izi bile kalmamıştı! Yapının temeli bile yer yer parçalanmıştı. Diyelim yeniden yapmaya kalktılar, yerle bir olan duvarların taşlarını bile toplayamazlardı. Patlamanın şiddetiyle yüzlerce metre uzağa saçılmışlardı.

Çiftliğe yaklaşırlarken, savaş sırasında her nedense ortalıktan kaybolan Squealer'ın hoplaya zıplaya kendilerine doğru geldiğini gördüler. Memnun memnun kuyruğunu sallıyor, yüzü sevinçle parlıyordu. O sırada, çiftlik binalarının oradan bir tüfek patladı.

Boxer, "Bu da ne?" diye sordu.

"Zaferimizi kutluyorlar!" diye bağırdı Squealer.

"Ne zaferi?" dedi Boxer. Dizleri kanıyordu, nallarından birini kaybetmiş, toynağı yarılmıştı, arka bacağına bir sürü saçma saplanmıştı.

"Ne demek ne zaferi, yoldaş? Düşmanı topraklarımızdan, Hayvan Çiftliği'nin kutsal topraklarından söküp atmadık mı?"

"Ama yel değirmenini havaya uçurdular. O yel değirmenini yapmak için tam iki yıl uğraşmıştık!"

"Boş ver, aldırma! Yenisini yaparız. Canımız isterse, altı yel değirmeni daha yaparız. Ne kadar büyük bir iş başardığımızın farkında değilsin galiba, yoldaş! Şu üzerinde durduğumuz topraklar az önce düşman elindeydi. Oysa şimdi her bir karışını geri aldık; Napoleon Yoldaş'ın önderliği sayesinde tabii!"

"Demek, zaten bizim olanı geri almışız," dedi Boxer.

Squealer, "Bu zafer bizim," dedi.

Topallaya topallaya avluya girdiler. Bacağındaki saçmalar Boxer'ın canını yakıyordu. Yel değirmeninin yeniden yapılmasının ne kadar zorlu bir uğraşı gerektireceğini, bu işte kendisine ne kadar büyük görevler düşeceğini düşünürken, belki de ilk kez yaşlandığını hissetti; o koca kaslarının artık eskisi kadar güçlü olmadığını geçirdi kafasından.

Öteki hayvanlar ise, yeşil bayrağın dalgalandığını gördükten, tüfeğin tam yedi kez atıldığını duyduktan ve savaşta gösterdikleri yararlılıklardan dolayı kendilerini kutlayan Napoleon'un konuşmasını dinledikten sonra, gerçekten de büyük bir zafer kazanmış oldukları duygusuna kapıldılar. Savaşta can verenler ağırbaşlı bir törenle gömüldüler. Cenaze arabası olarak kullanılan yük arabasını Boxer ile Clover çektiler, cenaze alayının en önünde Napoleon yürüdü. Kutlamalar tam iki gün sürdü. Şarkılar söylendi, söylevler çekildi, silahlar atıldı; ödül olarak her hayvana bir elma, her kuşa elli gram darı, her köpeğe de üç peksimet verildi. Ardından, bu son savaşın bundan böyle "Yel Değirmeni Savaşı" adıyla anılacağı, Napoleon'un, "Yeşil Bayrak" adı altında yeni bir nişan verilmesini kararlaştırdığı ve ilk nişanı da kendisine taktığı açıklandı. Zafer sarhoşluğu, sahte banknotları unutturmuştu.

Birkaç gün sonra domuzlar, çiftlik evinin kilerinde bir kasa viski buldular. Anlaşılan, eve ilk girdiklerinde gözlerine çarpmamıştı. O gece çiftlik evinden şarkılar yükseldi; üstelik, araya zaman zaman İngiltere'nin Hayvanları'ndan ezgilerin de karışması herkesi çok şaşırttı. Dokuz buçuk sularında Napoleon, başında Bay Jones'un melon şapkasıyla arka kapıdan çıktı, avlunun çevresinde fırdolayı dönüp içeri girdi. Sabah olduğunda, çiftlik evinde derin bir sessizlik hüküm sürüyordu. Anlaşılan, domuzların hepsi uyuyordu daha. Dokuza doğru kapıda Squealer göründü; ağır ağır ilerledi; bitkin görünüyordu, bakışları donuktu, kuyruğu aşağı sarkmıştı; sanki onulmaz bir hastalığa yakalanmış gibiydi. Hemen hayvanları topladı. Haber kötüydü: Napoleon Yoldaş, ölüm döşeğindeydi!

Hayvanlardan bir feryat koptu. Çiftlik evinin kapılarının önüne samanlar serildi; herkes parmaklarının ucuna basarak yürüyordu. Önderimizi yitirirsek halimiz nice olur, diye ağlaşıyorlardı. Snowball'un en sonunda Napoleon'un yemeğine zehir katmayı başardığı yolunda bir söylenti dolaşıyordu. Saat on birde Squealer kapının önüne çıkarak bir açıklama daha yaptı. Napoleon Yoldaş, ölüm döşeğinde son bir yasa daha çıkarmıştı: İçki içenler idam cezasına çarptırılacaktı.

Ne var ki akşama doğru Napoleon'un biraz daha iyi göründüğünü bildiren Squealer, ertesi sabah Önder'in sağlığının hızla iyiye gittiğini açıkladı. O günün akşamı yeniden işinin başına dönen Napoleon'un, ertesi gün mayalandırma ve damıtma yöntemleriyle ilgili bazı kitapçıklar satın alması için Whymper'ı Willingdon Çiftliği'ne gönderdiği öğrenildi. Napoleon, bir hafta kadar sonra, meyve bahçesinin arka tarafında bulunan ve artık çalışamayan hayvanlara otlak olarak ayrılması düşünülen küçük çayırın sürülmesi için emir verdi. Çayırın yozlaştığı ve yeniden çimen ekilmesi gerektiği söylendiyse de, çok geçmeden Napoleon'un oraya arpa ekmek niyetinde olduğu anlaşıldı.

İşte tam o günlerde, kimsenin anlayamadığı tuhaf bir şey oldu. Bir gece on iki sularında avludan gelen bir çatırtı üzerine bütün hayvanlar dışarı fırladılar. Mehtaplı bir geceydi. Büyük samanlığın Yedi Emir'in yazılı olduğu uzun duvarının dibinde, iki parçaya ayrılmış bir merdiven duruyordu. Squealar da merdivenin yanı başında yerde yatmaktaydı; sersemlemiş görünüyordu. Az ileride bir fener, bir boya fırçası ve devrilmiş bir beyaz boya kutusu göze çarpıyordu. Köpekler hemen Squealer'ın çevresini aldılar, az biraz yürüyebilecek duruma gelir gelmez

onu çiftlik evine götürdüler. Bu işe kimse akıl sır erdiremedi. Bir tek, bilgiççe başını sallayan yaşlı Benjamin her şeyi anlamış görünüyor, ama hiçbir şey söylemiyordu.

Ama birkaç gün sonra Muriel, Yedi Emir'i kendi başına bir kez daha okurken hayvanların emirlerden birini daha yanlış anımsadıklarını fark etti. Beşinci Emir'i, "Hiçbir hayvan içki içmeyecek!" diye biliyorlardı, demek bir sözcüğü unutmuşlardı. Doğrusu şöyleydi: "Hiçbir hayvan aşırı içki içmeyecek."

Dokuzuncu bölüm

Boxer'ın yarılan toynağının iyileşmesi uzun sürdü. Zafer kutlamaları sona erdikten bir gün sonra yel değirmenini yeniden yapmaya başlamışlardı. Boxer bir gün bile izin almaya yanaşmamıştı; acı çektiğini kimseye belli etmemeyi bir onur sorunu olarak görüyor, toynağının çok ağrıdığını akşamları yalnızca Clover'a itiraf ediyordu. Clover, Boxer'ın yarasını, çeşitli otları çiğneyerek hazırladığı lapalarla iyileştirmeye çalışıyordu. Clover ile Benjamin, kendini fazla yormaması için Boxer'a yalvarıyorlardı. Clover, "Atlar da yorulur," diyor, ama Boxer kulak asmıyordu: Artık tek bir amacı kalmıştı, o da emekliye ayrılmadan yel değirmeninin çalışmaya başladığını görmekti.

Başlangıçta, Hayvan Çiftliği'nin yasaları ilk kez hazırlanırken, emeklilik yaşı atlar ve domuzlar için on iki, inekler için on dört, köpekler için dokuz, koyunlar için yedi, tavuklar ve kazlar için de beş olarak belirlenmişti. Emekli aylıklarının yüksek tutulması kararlaştırılmıştı. Gerçi henüz hiçbir hayvan emekliye ayrılmış değildi, ama son zamanlarda bu konu gittikçe daha çok tartışılır olmuştu. Meyve bahçesinin arka tarafındaki küçük çayırın arpa ekimine ayrılmasından sonra, büyük çayırın bir köşesinin çitle çevrileceği ve emekliliği gelen hayvanlar

115

için otlak olarak kullanılacağı yolunda bir söylenti dolaşıyor; emekli atlara günde iki buçuk kilo tahıl, kışın yedi buçuk kilo ot, bayramlarda da bir havuç ya da mümkün olursa bir elma verilmesi gerektiği söyleniyordu. Boxer, gelecek yıl yaz sonuna doğru on iki yaşına basacaktı.

Hayatın zorlukları bitmek bilmiyordu. Bu kış da bir önceki kadar soğuktu, yiyecekler daha da azalmıştı. Domuzlar ve köpeklerin tayınları dışında bütün tayınlarda bir kez kısıntıya gidilmişti. Squealer'ın açıklamasına bakılırsa, tayınlarda çok katı bir eşitlik, Hayvancılığın ilkelerine aykırıydı; yiyecek sıkıntısı varmış gibi görünebilirdi, ama gerçek hiç de öyle değildi. Squealer gönüllere su serpmeyi çok iyi beceriyordu. Kuşkusuz, şimdilik, tayınları yeniden ayarlamak zorunda kalmışlardı (Squealer, hiçbir zaman "kısıntı" sözcüğünü kullanmıyor, "yeniden ayarlama" demeyi yeğliyordu), ama gene de Jones'un dönemiyle kıyaslandığında çok büyük bir ilerleme söz konusuydu. Rakamları en küçük ayrıntısına kadar, tiz bir sesle hızlı hızlı okuyarak, Jones'un dönemine oranla daha çok yulaf, daha çok ot ve daha çok şalgam yediklerini, çalışma saatlerinin daha aza indirildiğini, içme sularının daha nitelikli olduğunu, daha uzun yaşadıklarını, ölen yavruların sayısında büyük bir azalma görüldüğünü, ahırlarda daha fazla saman bulunduğunu ve eskisi kadar pirelenmediklerini bir bir ortaya koyuyordu. Hayvanlar, ne dese inanıyorlardı. Doğrusunu söylemek gerekirse Jones'un zamanında olup bitenler, belleklerinden neredeyse bütünüyle silinmişti. Şimdilerde yoksul ve çetin bir hayat yaşadıklarını, çoğu zaman aç kalıp soğuktan donduklarını, uyku uyumak dışında her dakikalarını çalışmakla geçirdiklerini biliyorlardı. Ama eski günlerin daha da beter olduğuna inanıyorlar ve bundan mutluluk duyuyorlardı. Kaldı ki, Squealer'ın da durmadan vurguladığı gibi, eskiden köle olmalarına karşılık şimdi özgürdüler; bütün fark da buradaydı.

Beslenecek boğazlar da artmıştı. Sonbaharda dört dişi domuz da aşağı yukarı aynı sıralar toplam otuz bir yavru doğurmuştu. Çiftlikteki tek erkek domuz Napoleon olduğundan, hepsi de alacalı olan yavruların babalarının kim olduğunu kestirmek hiç de güç değildi. İleride, tuğla ve kereste alındığı zaman, çiftlik evinin bahçesinde bir derslik yapılacağı açıklanmıştı. Ama şimdilik küçük domuzlara çiftlik evinin mutfağında Napoleon kendisi ders vermekteydi. Beden eğitimi ve gezinti için bahçeye çıkıyorlardı, ama öteki hayvanların yavrularıyla oynamalarına izin yoktu. Gene o sıralar, yeni kurallar getirilmişti: Bir domuz ile başka bir hayvan yolda karşılaştıklarında öteki hayvan kenara çekilerek domuza yol verecek ve bütün domuzlar pazar günleri kuyruklarına yeşil kurdele takma ayrıcalığına sahip olacaklardı.

O yıl çiftlikte işler yolunda gitmesine karşın, hâlâ para sıkıntısı çekiliyordu. Derslik için tuğla, kum ve kireç almak, yel değirmeninin aygıtları için de para biriktirmek zorundaydılar. Ayrıca, ev için gazyağı ve mum, Napoleon'un sofrası için şeker (şişmanlamasınlar diye şekeri öteki domuzlara yasaklamıştı) almaları gerekiyordu; araç gereç, çivi, ip, kömür, tel, hurda demir ve köpek bisküvisi de cabası. Samanların ve patateslerin bir bölümü satılmıştı; sözleşmedeki yumurta sayısı haftada altı yüze çıkarıldığından, o yıl tavuklar yeterince civciv çıkaramamışlardı. Aralık ayında azaltılmış olan tayınlara şubatta yeniden kısıtlama getirilmiş, fazla gazyağı gitmesin diye ahırlarda fener yakmak yasaklanmıştı. Ama domuzların rahatı yerindeydi; dahası, semirdikleri bile söylenebilirdi. Şubat sonlarına doğru bir akşamüstü, mutfağın arkasında bulunan ve Jones'un zamanında hiç kullanıl-

117

mayan küçük bira imalathanesinden avluya, hayvanların o güne kadar hiç duymadıkları, ılık, nefis, iştah açıcı bir koku yayıldı. Hayvanlardan biri, bunun pişirilmekte olan arpa kokusu olduğunu söyledi. Kokuyu içlerine çeken aç hayvanlar, yoksa akşam yemeğine sıcak bir lapa mı hazırlanıyor, diye düşünmekten kendilerini alamadılar. Ama sıcak lapa şöyle dursun, ertesi pazar artık tüm arpanın domuzlara ayrılacağı açıklandı. Meyve bahçesinin arkasındaki tarlaya çoktan arpa ekilmişti. Çok geçmeden bir haber yayıldı: Artık her domuza günde yarım litre, Napoleon'a ise dört litre bira veriliyor, Napoleon birasını Crown Derby takımının çorba kâsesinden içiyordu.

Gerçi güçlüklerin ardı arası kesilmiyordu, ama hayvanlar artık eskisine göre çok daha onurlu yaşadıklarını düşünerek bir ölçüde avutuyorlardı kendilerini. Daha çok şarkı söyleniyor, daha çok konuşma yapılıyor, daha çok tören düzenleniyordu. Napoleon, haftada bir, Hayvan Çiftliği'nde verilen savaşımları ve kazanılan zaferleri kutlamak amacıyla Kendiliğinden Gösteriler düzenlenmesini buyurmuştu. Hayvanlar, belirlenen saatte işi bırakıyor, çiftliğin çevresinde askeri düzende yürüyüşe geçiyorlardı: en önde domuzlar, onların arkasında atlar, sonra inekler, koyunlar, en arkada da kümes hayvanları... Köpekler geçit alayının iki yanında yürüyor, Napoleon'un siyah horozu da başı çekiyordu. Üzerinde hayvan ayağı ve boynuz resmi bulunan, "Yaşasın Napoleon Yoldaş!" yazılı bir bayrağı her zaman Boxer ile Clover taşıyorlardı. Daha sonra, Napoleon'un onuruna yazılmış şiirler okunuyor, ardından Squealer gıda maddeleri üretimindeki son artışları ayrıntılarıyla açıklayan bir konuşma yapıyor, zaman zaman da bir el silah atılıyordu. Kendiliğinden Gösteriler'in en büyük tutkunu koyunlardı; içlerinden biri vakit kaybettiklerinden ve soğukta dikilip durmaktan başka bir şey yapmadıklarından yakınmaya kalksa (bazı hayvanlar, gerçekten de, domuzlar ve köpekler ortalıkta görünmediği zamanlar yakınıyorlardı), koyunlar o saat bir ağızdan, "Dört ayak iyi, iki ayak kötü!" diye avazları çıktığı kadar meleyerek onu susturuyorlardı. Ama hayvanlar bu törenlerden genellikle hoşnuttular. Ne de olsa, kendi kendilerinin efendisi olduklarının ve yalnızca kendi yararları için çalıştıklarının anımsatılması, yüreklerini ferahlatıyordu. Böylece şarkılarla, tören alaylarıyla, Squealer'ın sıraladığı rakamlarla, tüfeğin gümbürtüsüyle, horozun ötüşleriyle ve bayrağın dalgalanışıyla, ara sıra da olsa, açlıklarını unutabiliyorlardı.

Nisan ayında Hayvan Çiftliği'nde Cumhuriyet ilan edildi. Bir başkan seçmek gerekiyordu. Tek aday olan Napoleon oybirliğiyle başkan seçildi. Aynı gün, Snowball'un Jones'un suç ortağı olduğuna ilişkin ayrıntılı bilgileri gün ışığına çıkaran yeni belgeler bulunduğu açıklandı. Belgeler, Snowball'un, hayvanların ilk başta sandıkları gibi yalnızca Ağıl Savaşı'nın kaybedilmesi için savaş hilesine başvurmakla kalmadığını, açıktan açığa Jones'un safında dövüştüğünü ortaya koyuyordu. Üstelik, İnsan kuvvetlerinin komutanlığını üstlenmiş ve, "Yaşasın İnsanlık!" diye haykırarak saldırıya geçmişti. Snowball'un sırtındaki yaraları kendi gözleriyle gördüklerini anımsayanlar ise, yepyeni bir şey öğreniyorlardı: Meğer bu yaraları Napoleon dişleriyle açmıştı.

Kaç yıldır ortalıkta görünmeyen kuzgun Moses, yaz ortalarına doğru birden çiftliğe geri döndü. Neredeyse hiç değişmemişti; elini sıcak sudan soğuk suya sokmuyor, eskisi gibi Balbadem Diyarı masalları okuyup duruyordu. Bir kütüğün üstüne tünüyor, kara kanatlarını çırpıyor; dinleyecek birini bulmayagörsün, saatlerce konuşuyordu. Koca gagasıyla gökyüzünü göstererek çok ciddi bir sesle, "İşte orada, yoldaşlar," diyordu. "Balbadem Diyarı, biz zavallı hayvanların tüm sıkıntılarımızdan kurtulup sonsuza dek huzur içinde yaşayacağımız ülke orada, şu gördüğünüz kara bulut var ya, onun hemen ardında!" Dahası, bir gün çok yükseklerden uçarken oradan geçtiğini, alabildiğine uzanıp giden yonca tarlalarını, keten tohumu küspesi ve kesmeşekerlerle kaplı çalılıkları gözleriyle gördüğünü ileri sürüyordu. Hayvanların birçoğu ona inanıyordu. Bu dünyada açlık ve yokluk içinde yaşıyorlardı; başka bir yerlerde daha iyi bir dünyanın bulunmasından daha doğru, daha anlaşılır ne olabilirdi? Asıl anlaşılması zor olan, domuzların Moses'a karşı tutumuydu. Hem onu aşağılayarak Balbadem Diyarı'yla ilgili masallarının palavra olduğunu söylüyorlar, hem de hiç çalışmadan çiftlikte kalmasına ses çıkarmıyorlar, dahası her gün bira içmesine izin veriyorlardı.

Boxer, ayağı iyileştikten sonra, her zamankinden daha sıkı çalışmaya başlamıştı. Aslında, o yıl, tüm hayvanlar köle gibi çalışıyorlardı. Çiftliğin gündelik işleri ve yel değirmeninin yeniden yapımının yanı sıra, bir de mart ayında genç domuzlar için bir derslik yapılmaya başlanmıştı. Az yiyip çok çalışmak dayanılır gibi değildi, ama Boxer asla pes etmiyordu. Konuşmalarından da, çalışmasından da, artık eskisi kadar güçlü olmadığını anlamak mümkün değildi. Yalnızca görünüşü biraz değişmişti; tüyleri eskisi kadar parlak değildi, kocaman sağrısı içine göçmüştü. Herkes, "İlkbahar otları bir yeşersin, Boxer kendini toparlar," diyordu. İlkbahar otları yeşerdi, ama Boxer toparlanamadı. Bazen, taşocağına çıkılan yamaçta, iri bir kaya parçasının altında kasları titrediğinde, onu ayakta tutan tek şey kararlılığı oluyordu. Böyle durumlarda, sesini tümden yitirmesine karşın, dudaklarından: "Daha çok çalışacağım," sözcükleri okunabiliyordu. Clover ile Benjamin, sağlığını koruması için onu sürekli uyarıyorlar, ama Boxer kulak asmıyordu. On ikinci yaş günü yaklaşıyordu. Sağlığı umurunda değildi; tek isteği, kendisi emekliye ayrılmadan yel değirmeni için yeterince taş toplanmasıydı.

Bir yaz akşamı, birden çiftlikte bir söylenti yayıldı: Boxer'a bir şey olmuştu. Yel değirmeni için tek başına bir araba taş taşımaya kalkışmıştı. Söylenti hiç kuşkusuz doğruydu. Az sonra, iki güvercin yarışırcasına haberi yetiştirdi: "Boxer yere yıkılmış! Kalkamıyor!"

Çiftlikteki hayvanların neredeyse yarısı, yel değirmeninin bulunduğu küçük tepeye koştu. Boxer orada, arabanın okları arasında, boynunu uzatmış yatıyor, başını bile kaldıramıyordu. Gözleri cam gibi olmuş, gövdesi tepeden tırnağa tere batmıştı. Ağzından ince bir kan sızıyordu. Clover, yanı başına diz çöktü.

"Boxer!" diye bağırdı. "Ne oldu sana?"

Boxer, duyulur duyulmaz bir sesle, "Ciğerlerim dayanmadı," dedi. "Dert değil. Yel değirmenini bensiz de bitirebilirsiniz. Epeyce taş toplandı. Hem bir ayım kalmıştı. Doğrusu, emekliliğimi dört gözle bekliyordum. Benjamin de yaşlandı artık; belki de onu da emekliye ayırırlar da bana arkadaşlık eder."

Clover, "Hemen yardım istemeliyiz," dedi. "Koşun, Squealer'a haber verin."

Hayvanlar, olup biteni Squealer'a anlatmak üzere hep birlikte çiftlik evine koştular. Yalnızca Clover'la Benjamin kalmıştı; Benjamin, Boxer'ın yanına uzanmış, uzun kuyruğuyla sinekleri kovuyordu. On beş dakika kadar sonra, Squealer belirdi; üzgün ve kaygılı görünüyordu. Napoleon Yoldaş'ın, çiftliğin en sadık işçilerinden birinin başına geleni çok büyük bir üzüntüyle öğrendiğini, Boxer'ın tedavi için Willingdon'daki hastaneye gönderilmesini sağlamaya çalıştığını söyledi. Hayvanlar biraz tedirgin oldular. O güne kadar Mollie ve Snowball dışında hiçbir hayvan çiftlikten ayrılmamıştı; hasta yoldaşlarının insanların eline bırakılacak olmasından hiç hoşlanma-

mışlardı. Ama Squealer, onları kolayca yatıştırmakta gecikmedi: Willingdon'daki baytar, Boxer'ı çok daha iyi tedavi edebilirdi. Yarım saat kadar sonra Boxer biraz toparlanıp güçlükle ayağa kalktı; topallayarak ahırına gidip Clover'la Benjamin'in hazırladıkları saman döşeğe uzandı.

Boxer, iki gün ahırında kaldı. Domuzlar, banyodaki ilaç dolabında buldukları büyük bir ilaç şişesi göndermişlerdi. Clover, şişenin içindeki pembe ilacı Boxer'a günde iki kez yemeklerden sonra içiriyordu. Akşamları Boxer'ın ahırında kalıp onunla konuşuyor, Benjamin de sinekleri kovuyordu. Boxer, başına gelenlere üzülmediğini söylüyordu. Bir iyileşirse, en azından üç yıl daha yaşayabilir, büyük otlağın bir köşesinde huzurlu günler geçirebilirdi. Belki de hayatında ilk kez okumaya, bir şeyler öğrenmeye vakit ayırabilecekti. Son yıllarını alfabenin tümünü öğrenmeye ayırmayı düşünüyordu.

Ne var ki Benjamin'le Clover, Boxer'la ancak iş saatlerinden sonra ilgilenebiliyorlardı. Üstü kapalı bir yük arabası Boxer'ı götürmeye geldiğinde, öğle saatleriydi. Bir domuzun gözetiminde, şalgam tarlasındaki ayrıkotlarını ayıklamakta olan hayvanlar, Benjamin'in çiftlik binalarının oradan avazı çıktığı kadar anırarak dörtnala geldiğini görünce çok şaşırdılar. Benjamin'i hayatlarında ilk kez telaşlı görüyorlardı; aslına bakılırsa, o güne değin dörtnala koştuğunu da gören olmamıştı. "Çabuk! Çabuk!" diye bağırdı Benjamin. "Hemen gelin! Boxer'ı götürüyorlar!" Hayvanlar, domuza aldırış etmeden, işi bırakıp çiftlik binalarının oraya koştular. Gerçekten de, avluda, iki atlı, üstü kapalı büyük bir yük arabası duruyordu. Yan tarafında bir yazı bulunan arabanın sürücü yerinde, melon şapkalı, şeytan bakışlı bir adam oturuyordu. Boxer'ın ahırı boştu.

Hayvanlar, arabanın çevresini almış, hep birlikte,

"Güle güle, Boxer!" diye bağırıyorlardı. "Yolun açık olsun!"

Benjamin ise, hayvanların çevresinde hoplayıp zıplıyor, küçük ayaklarını yere vurarak, "Salaklar! Salaklar!" diye bağırıyordu. "Kör müsünüz? Arabanın üstünde ne yazıyor, görmüyor musunuz?"

Benjamin'i duyan hayvanlar durakladılar; ortalığı bir suskunluk kapladı. Muriel, yazıyı sökmeye çalışıyordu. Benjamin, onu kenara itti ve ölüm sessizliğinin ortasında yazıyı okudu:

"*Alfred Simmonds, At Kasabı ve Tutkal İmalatçısı, Willingdon. Hayvan Derisi ve Kemik Tozu Taciri. Köpek kulübesi temin edilir.* Şimdi anladınız mı? Boxer'ı at kasabına götürüyorlar, köpek maması yapacaklar!"

Hayvanlar, dehşet içinde bağrıştı. Tam o sırada, sürücü yerinde oturan adam atları kamçıladı, tırısa kalkan atların çektiği araba avludan çıktı. Tüm hayvanlar, yeri göğü çınlatarak arabanın ardına düştüler. Clover var gücüyle en önden gidiyordu. Araba hızlanmaya başladı. Clover, güçlü bacaklarıyla dörtnala kalkmaya çalıştıysa da, ancak eşkine erişebildi. "Boxer!" diye bağırıyordu. "Boxer! Boxer! Boxer!" Tam o sırada, dışarıda kopan gürültüyü duymuşçasına, arabanın arkasındaki küçük pencerede Boxer'ın yüzü belirdi.

Clover, "Boxer!" diye haykırdı yürekleri dağlayan bir sesle. "Boxer! Çık oradan! Çabuk çık! Boğazlamaya götürüyorlar seni!"

Hayvanlar da, "Çık oradan Boxer! At kendini dışarı!" diye bağırıyorlardı. Ama araba iyiden iyiye hızlanmış, arayı gittikçe açıyordu. Boxer'ın, Clover'ın ne dediğini anlayıp anlamadığı da belli değildi. Ama çok geçmeden yüzü camdan kayboldu ve arabanın içinden korkunç tepinmeler duyuldu. Çifteler atarak kapıyı açmaya çalışıyordu. Eskiden olsa, arabanın kapısını birkaç çiftede paramparça ederdi. Ama ne gezer! O eski gücünün yerinde yeller esiyordu. Biraz sonra, tepinmeler yavaş yavaş hafifledi ve sonunda tümden kesildi. Umarsızlığa kapılan hayvanlar, bu kez, arabayı çekmekte olan atlara seslendiler: "Yoldaşlar! Yoldaşlar! Kardeşinizi ölüme götürmeyin!" Ama olup biteni kavrayamayan aptal beygirler, kulaklarını arkaya yatırıp biraz daha hızlandılar. Boxer'ın yüzü bir daha camda belirmedi. İçlerinden biri, önden koşup çiftliğin kapısını kapatmayı düşündü, ama artık çok geçti; araba kapıdan çıkarak yola daldı ve hızla gözden kayboldu. Boxer'ı bir daha hiç görmediler.

Üç gün sonra Boxer'ın, gösterilen her türlü özene karşın Willingdon'daki hastanede öldüğü haberi geldi. Haberi açıklayan Squealer, son anlarında Boxer'ın yanında bulunduğunu söylüyordu.

Squealer, ön ayağını kaldırıp gözyaşlarını silerek, "Böylesine dokunaklı bir sahne görmemiştim!" dedi. "Son ana kadar başucundaydım. Konuşacak gücü kalmamıştı. Son nefesinde, kulağıma, tek üzüntüsünün yel değirmeninin bittiğini görememek olduğunu fısıldadı. 'İleri, yoldaşlar!' dedi güçlükle. 'Ayaklanma adına ileri! Yaşasın Hayvan Çiftliği! Yaşasın Napoleon Yoldaş! Napoleon her zaman haklıdır!' Son sözleri bunlar oldu, yoldaşlar."

Derken, Squealer'ın tavrı ansızın değişiverdi. Bir an durdu, ufacık gözleriyle çevresine kuşkulu bakışlar fırlattıktan sonra başladı anlatmaya.

Boxer götürüldükten sonra çiftlikte saçma ve aşağılık bir söylenti yayıldığını duymuştu. Söylentiye bakılırsa, bazı hayvanlar Boxer'ı götüren arabanın üzerinde "At Kasabı" yazdığını görmüşler ve hemen Boxer'ın kesilmeye gönderildiği sonucuna varmışlardı. Bir hayvanın bu kadar salak olması inanılır gibi değildi. Ter ter tepiniyor, öfkeyle bağırıyordu. Sevgili Önderleri Napoleon

Yoldaş'ı hiç mi tanımıyorlardı? Napoleon Yoldaş, hiç böyle bir şeye göz yumar mıydı? Oysa işin aslı çok basitti. Eskiden bir at kasabının kullandığı araba, kısa bir süre önce baytar tarafından satın alınmış ama baytar arabanın üstündeki yazıyı silmeye vakit bulamamıştı. Sorun buradan kaynaklanıyordu.

Hayvanlar, işin aslını öğrenince, yüreklerindeki sıkıntıyı biraz olsun atmışlardı. Hele Squealer, Boxer'a ölüm döşeğinde ne kadar büyük özen gösterildiğini, Napoleon'un o pahalı ilaçları en küçük bir duraksama göstermeden hemen aldırttığını ayrıntılarıyla anlatınca, kafalarındaki son kuşkular da dağıldı; Boxer'ın hiç değilse mutlu öldüğü düşüncesi, yoldaşlarının ölümüyle içlerine çöken acıyı dindirdi.

Ertesi pazar, sabahleyin düzenlenen toplantıya Napoleon da katıldı ve Boxer'ı göklere çıkaran kısa bir söylev çekti. Acısını yüreklerinde duydukları yoldaşlarının cenazesini gömülmek üzere çiftliğe getirtmek mümkün olmamıştı. Ama Boxer'ın cenazesine, çiftlik evinin bahçesindeki defne dallarından yaptırttığı kocaman bir çelenk göndermişti. Domuzlar, birkaç güne kadar Boxer için bir anma şöleni düzenleyeceklerdi. Napoleon, söylevini, Boxer'ın en sevdiği iki özdeyişle bitirdi: "Daha çok çalışacağım" ve "Napoleon Yoldaş her zaman haklıdır". Bu özdeyişleri her hayvan kafasına iyice kazımalıydı.

Şölenin verileceği gün Willingdon'dan gelen bir bakkal arabası, çiftlik evine kocaman bir sandık bıraktı. O gece büyük bir şamatayla şarkılar söylendiği duyuldu, ardından tepişme ve boğuşma sesleri geldi, en sonunda on bire doğru bir şangırtı koptu. Ertesi gün öğleye kadar, çiftlik evinde kalanların hiçbirinden ses çıkmadı. Çiftlikte bir söylenti dolaşıyordu: Domuzlar, parayı nereden bulmuşlarsa bulmuşlar, bir kasa viski daha almışlardı

Onuncu bölüm

Yıllar geçti, mevsimler devrildi, hayvanların kısa ömürleri bir bir sona erdi. Artık Ayaklanma'dan önceki günleri Clover, Benjamin, kuzgun Moses ve birkaç domuzdan başka anımsayan kalmamıştı. Muriel ölmüştü, Bluebell, Jessie ve Pincher ölmüştü. Jones da hayatta değildi artık; uzaklardaki bir düşkünlerevinde bu dünyadan göçmüştü. Snowball unutulmuştu. Onu tanımış olan birkaç hayvanı saymazsak, Boxer da unutulmuştu. Clover, yaşlanıp şişmanlamıştı; eklemleri sertleşmiş, gözleri sulanmaya başlamıştı. Emekliliği geleli iki yıl olmuştu, ama o güne değin hiçbir hayvanın emekliye ayrıldığı görülmemişti. İyice yaşlanan hayvanlar için otlakta bir köşe ayırma tasarısının çoktandır sözü bile edilmiyordu. Napoleon, neredeyse yüz elli kiloluk bir domuz azmanı olup çıkmıştı. Squealer, yağ tulumuna dönmüştü; gözleri yumuk yumuktu, güçlükle görebiliyordu. Bir tek yaşlı Benjamin pek değişmemişti; yalnızca yelesine hafif kır düşmüştü; bir de, Boxer'ın ölümünden sonra daha da somurtkanlaşmış, ağzı dili bağlanmıştı.

Gerçi nüfus artışı ilk başta beklendiği kadar yüksek olmamıştı, ama gene de çiftlikteki hayvanların sayısı artmıştı. Yakın yıllarda doğmuş olan birçok hayvan için

Ayaklanma, ağızdan ağıza aktarılan bir masaldan başka bir şey değildi; dışarıdan satın alınan hayvanların çiftliğe gelinceye kadar Ayaklanma'dan haberleri bile olmamıştı. Çiftlikte, Clover'dan başka üç at daha vardı. Bunlar temiz yürekli, dürüst, gönülden çalışan hayvanlardı; yoldaşlıklarına diyecek yoktu, ama çok aptaldılar. Alfabenin B harfinden ötesini sökememişlerdi. Ayaklanma ve hayvancılığın temel ilkeleri konusunda kendilerine söylenen her şeyi hiç tartışmadan kabul ediyorlardı; özellikle de derin bir saygı duydukları Clover'ın ağzından çıkmışsa... Ama bu söylenenlerden pek bir şey anladıkları söylenemezdi.

Çiftlik artık daha zenginleşmiş, daha iyi örgütlenmişti; Bay Pilkington'dan satın alınmış olan iki tarlayla daha da büyümüştü. Yel değirmeni en sonunda başarıyla tamamlanmış, çiftlik bir harman makinesine, saman ve ot ambarına kavuşmuş, yeni binalar yapılmıştı. Whymper, kendine tek atlı ufak bir araba almıştı. Ama yel değirmeninden elektrik üretimi için hiç yararlanılmamıştı. Un öğütmekte kullanılan değirmen oldukça iyi para getiriyordu. Şimdi hayvanlar var güçleriyle bir yel değirmeni daha yapmaya çalışıyorlardı. Söylenenlere bakılırsa, bu yeni yel değirmeni tamamlandığında, dinamolar takılacaktı. Ama elektrik ışığıyla aydınlatılan, sıcak ve soğuk suyu eksik olmayan ahırlar ve haftada yalnızca üç gün çalışmak gibi, bir zamanlar Snowball'un hayvanlara ballandıra ballandıra anlattığı düşler artık belleklerden silinmişti. Napoleon, bu tür düşüncelerin, Hayvancılığın ruhuyla bağdaşmadığını açıklamıştı. Önder'e göre gerçek mutluluk, çok çalışmak ve yalın yaşamakta yatıyordu.

Bu arada çiftlik zenginleşmiş, ama her nedense hayvanların hayat koşulları değişmemişti; tabii domuzlarla köpekleri saymazsak. Bu, belki biraz da kalabalık olmalarından kaynaklanıyordu. Gerçi onlar da kendilerince çalışıyorlardı. Squealer'ın bıkıp usanmadan anlattıklarına bakılırsa çiftliğin denetim ve yönetimi, durmamacasına çalışmalarını gerektiriyordu. Bu işlerin çoğu, öteki hayvanların bilgi ve becerisini aşan uğraşlardı. Örneğin, domuzlar her gün sabahtan akşama kadar "fişler", "raporlar", "tutanaklar", "dosyalar" gibi kimsenin akıl sır erdiremediği işlere kafa patlatmak zorundaydılar. Bunlar, sık yazılarla doldurulan, doldurulduktan sonra ocağa atılıp yakılan çarşaf çarşaf kâğıtlardı. Squealer, bunun, çiftliğin dirlik ve düzeni açısından büyük önem taşıdığını söylüyordu. Ama gene de, domuzların da, köpeklerin de, kendi emekleriyle yiyecek ürettikleri yoktu; üstelik, hem çok kalabalıktılar, hem de iştahları her zaman yerindeydi.

Öteki hayvanlara gelince; gördükleri kadarıyla, hayatlarında pek değişen bir şey yoktu. Çoğu zaman karınları açtı, samanların üstünde yatıyorlar, sularını gölcükten içiyorlar, tarlalarda çalışıyorlardı; kışın soğuktan donuyorlar, yazın sineklerin saldırısına uğruyorlardı. Daha yaşlıca olanlar, belleklerini zorlayarak Jones'un çiftlikten yeni kovulduğu Ayaklanma'nın ilk günlerindeki durumun şimdikinden daha mı iyi, yoksa daha mı kötü olduğunu çıkarmaya çalışıyorlar; ama pek bir şey anımsayamıyorlardı. Şimdiki hayatlarıyla karşılaştıracak hiçbir şey kalmamıştı ellerinde; önlerinde yalnızca Squealer'ın durumun her geçen gün daha iyiye gittiğini gösteren rakamlarla dolu listeleri vardı. Bir türlü işin içinden çıkamıyorlardı; kaldı ki, artık bu tür şeylere uzun uzadıya kafa yoracak vakitleri de yoktu. Uzun hayatının tüm ayrıntılarını anımsadığını ileri süren tek hayvan, yaşlı Benjamin'di; o da, durumun hiçbir zaman daha iyi ya da daha kötü olmadığını ve böyle sürüp gideceğini söylüyordu. Benjamin'e göre, açlık, zorluk ve hayal kırıklığı hayatın değişmez yasalarıydı.

Gene de, hayvanlar umutlarını asla yitirmiyorlardı.

Daha da önemlisi, Hayvan Çiftliği'nin üyesi olmanın ne kadar onurlu ve saygın bir nitelik olduğunu bir an bile akıllarından çıkarmıyorlardı. Hayvan Çiftliği, koca ülkede –tüm İngiltere'de!– hayvanların malı olan ve hayvanlar tarafından yönetilen tek çiftlikti hâlâ. En gençleri, dahası yirmi otuz kilometre uzaklıktaki çiftliklerden yeni getirilmiş olanlar bile bunu bir mucize olarak görüyorlardı. Tüfek sesini duyduklarında, yeşil bayrağın gönderde dalgalandığını gördüklerinde göğüsleri kabarıyor; söz dönüp dolaşıp mutlaka eski kahramanlık günlerine, Jones'un çiftlikten kovuluşuna, Yedi Emir'in kaleme alınışına, çiftliği ele geçirmeye kalkan insanların bozguna uğratılışına geliyordu. Eski düşlerin hiçbirinden vazgeçmemişlerdi. Koca Reis'in müjdelediği, İngiltere'nin yemyeşil çayırlarına tek bir insan ayağının basmayacağı Hayvan Cumhuriyeti'ne olan inançlarını yitirmemişlerdi. Bir gün mutlaka gerçek olacaktı; belki hemen gerçekleşmeyecekti, belki şimdi hayatta olanlar o günleri göremeyeceklerdi, ama düşleri bir gün mutlaka gerçek olacaktı. *İngiltere'nin Hayvanları* şarkısının ezgisi bile orada burada gizlice mırıldanılıyordu; hiçbiri yüksek sesle söylemeye cesaret edemese de, çiftlikteki her hayvanın şarkıyı ezbere bildiği kesindi. Zor bir hayat yaşıyor olabilirlerdi, umutlarının tümü gerçekleşmemiş olabilirdi, ama öteki hayvanlardan farklı olduklarının bilincindeydiler. Açlık çekiyorlarsa, zorba insanları doyuralım diye çekmiyorlardı; çok çalışıyorlarsa, hiç değilse kendileri için çalışıyorlardı. Hiçbir hayvan iki ayak üstünde yürümüyordu. Hiçbir hayvan, hiçbir hayvanın "efendi"si değildi. Bütün hayvanlar eşitti.

Yaz başlarıydı. Bir gün Squealer koyunlara ardından gelmelerini emretti ve onları çiftliğin öbür ucunda, körpe huş ağaçlarıyla kaplı bir yere götürdü. Koyunlar, Squealer'ın gözetiminde, akşama kadar ağaçların yapraklarını yediler. Squealer, akşam çiftlik evine dönmeden, koyunlara orada kalmalarını tembihledi; hava da sıcaktı zaten. Koyunlar bütün bir hafta orada kaldılar; bu süre boyunca öteki hayvanlar koyunlarla hiç karşılaşmadılar. Squealer her gün oraya gidiyor, günün büyük bölümünü koyunlarla geçiriyordu. Onlara yeni bir şarkı öğretmekte olduğunu, rahat çalışabilmeleri için gözlerden uzak olmaları gerektiğini söylüyordu.

Koyunların çiftliğe yeni döndükleri güzel bir akşamüstü, hayvanlar işlerini bitirmişler, çiftlik binalarına yönelmişlerdi. Birden, avlunun oradan, korkunç bir kişneme duyuldu. Hayvanlar ürkerek oldukları yerde kaldılar. Clover'ın sesiydi. Bir kez daha kişneyince, tüm hayvanlar dörtnala avluya daldılar. Ve Clover'ın gördüğünü onlar da gördüler:

Arka ayakları üzerinde yürüyen bir domuz.

Squealer'dı bu. Koca gövdesini arka ayaklarının üzerinde taşımaya alışık olmadığından güçlükle ilerliyor, ama gene de dengesi bozulmadan avlunun ortasında gezinebiliyordu. Biraz sonra çiftlik evinin kapısından bir sürü domuz çıktı; hepsi de arka ayaklarının üzerinde yürüyorlardı. Daha beceriklileri de vardı, dengelerini korumakta güçlük çekenler de; ama hepsi de avlunun çevresinde yere yıkılmadan dolanıp duruyorlardı. Sonunda, köpekler ürkünç sesler çıkararak havladılar, kara horoz kulakları sağır edercesine uzun uzun öttü ve kapıda Napoleon belirdi: Olanca görkemiyle dimdik yürüyor, sağına soluna kibirli bakışlar fırlatıyordu; köpekleri de çevresinde sıçrayıp duruyorlardı.

Ön ayaklarından birinde bir kırbaç vardı!

Ortalığı ölüm sessizliği kaplamıştı. Hayvanlar, şaşkınlık ve korku içinde birbirlerine sokulmuşlar, avlunun çevresinde ağır ağır yürüyen domuzları izliyorlardı. Sanki dünya tersine dönmüştü. İlk şaşkınlıkları geçer geçmez, köpeklerden korkmalarına, uzun yıllardır ne olursa olsun hiçbir şeyden yakınmama, hiçbir şeyi eleştirmeme alışkanlığını edinmiş olmalarına karşın, domuzlara karşı seslerini yükseltmek üzereydiler ki, koyunlar birinden işaret almışçasına hep bir ağızdan melemeye başladılar: "Dört ayak iyi, iki ayak *daha iyi!* Dört ayak iyi, iki ayak *daha iyi!* Dört ayak iyi, iki ayak *daha iyi!*"

Meleme aralıksız beş dakika sürdü. Koyunların sesi kesildiğinde, domuzlar çoktan çiftlik evine dönmüştü; protesto etme fırsatı kaçırılmıştı.

Benjamin, birinin burnuyla omzuna dokunduğunu fark edince dönüp baktı. Clover'dı. Yaşlı gözleri her zamankinden daha donuktu. Hiçbir şey söylemeden, Benjamin'i usulca yelesinden çekip büyük samanlığın Yedi Emir'in yazılı olduğu duvarına götürdü. Bir süre öyle durup katran kaplı duvardaki beyaz yazılara baktılar.

Sonunda, Clover, "Gözlerim artık iyi görmüyor," dedi. "Gerçi gençken de doğru dürüst okuyamazdım ya. Ama bana öyle geliyor ki, yazılarda bir değişiklik var. Yedi Emir eskisi gibi duruyor mu, Benjamin?"

Benjamin, ilk kez ilkesini bozdu ve duvardaki yazıyı Clover'a okudu. Duvarda tek bir emir yazılıydı:

BÜTÜN HAYVANLAR EŞİTTİR
AMA BAZI HAYVANLAR
ÖBÜRLERİNDEN DAHA EŞİTTİR

Ertesi gün, çiftlik işlerini denetleyen bütün domuzların kırbaçlı olmaları kimseye tuhaf gelmedi. Domuzların kendilerine bir radyo aldıkları, telefon bağlatmaya hazırlandıkları, *John Bull* ve *Tit-Bits* dergileriyle *Daily Mirror* gazetesine abone oldukları işitildiğinde, kimse şaşırmadı. Napoleon'un, çiftlik evinin bahçesinde ağzında piposuyla dolaşması, kimsenin garibine gitmedi. Do-

muzların, Bayan Jones'un giysilerini gardıroptan alıp giymeleri, Napoleon'un siyah ceket, külot pantolon ve deri tozluklarla gezinmesi, gözdesi olan dişi domuzun da Bayan Jones'un bir vakitler pazar günleri giydiği şanjanlı ipek elbiseyle dolaşması bile hiç kimseyi şaşırtmadı.

Bir hafta kadar sonra, bir öğleden sonra, çiftliğe tek atlı ufak arabalar geldi. Komşu çiftliklerden bir temsilciler kurulu, bir denetleme gezisi için çağrılmıştı. Tüm çiftliği gezen çiftçiler, gördükleri her şeye, özellikle de yel değirmenine hayran kaldıklarını belirttiler. Hayvanlar, şalgam tarlasındaki ayrıkotlarını yolmaktaydılar. Kendilerini tümüyle işlerine vermişlerdi; daha çok domuzlardan mı, yoksa çiftliğe konuk gelen insanlardan mı korkmak gerektiğini kestiremediklerinden başlarını bile kaldırmıyorlardı.

Akşamleyin, çiftlik evinden kahkahalar ve şarkılar yükseldi. Birbirine karışan sesleri duyan hayvanlar birden kulak kesildiler. İlk kez eşit koşullarda bir araya gelen hayvanlarla insanlar orada ne yapıyorlardı acaba? Hep birlikte, hiç ses çıkarmamaya çalışarak çiftlik evinin bahçesine yaklaştılar.

Bahçe kapısının önüne geldiklerinde ürkerek duraksadılarsa da, Clover'ın öne düşmesiyle içeri girip parmaklarının ucuna basarak eve yöneldiler. Boyları yetişen hayvanlar, yemek odasının penceresinden içeri baktılar. Uzun masanın çevresinde, altı çiftçi ile önde gelen altı domuz oturuyordu. Napoleon ise masanın başına geçmiş, onur koltuğuna kurulmuştu. Domuzlar, sandalyelerinde hiç de rahatsız görünmüyorlardı. Hep birlikte kâğıt oynarken oyunu kesmişler, şerefe kadeh kaldırıyorlardı. Büyük bir sürahi elden ele dolaşıyor, bardaklara bira dolduruluyordu. Hiçbiri, pencereden içeri bakan hayvanların şaşkın yüzlerini fark etmemişti.

Foxwood Çiftliği'nin sahibi Bay Pilkington, elinde

bardağı, ayağa kalktı. Birazdan herkesi şerefe kadeh kaldırmaya davet edeceğini, ama daha önce birkaç söz etmeyi görev bildiğini söyledi.

Uzun süren bir güvensizlik ve anlaşmazlık döneminin artık sona ermiş olması, kendisi ve hiç kuşkusuz orada bulunan herkes için büyük bir mutluluk kaynağıydı. Komşu çiftliklerdeki insanlar, Hayvan Çiftliği'nin saygıdeğer sahiplerine, bir süre, düşmanlık duygularıyla değilse de kuşkuyla yaklaşmışlardı; ama kendisi ve orada bulunanlar, insanların bu kuşkucu yaklaşımını bile paylaşmamışlardı. Talihsiz olaylar meydana gelmiş, yanlış düşüncelere kapılanlar olmuştu. Domuzların sahip olduğu ve yönettiği bir çiftliğin hiç de olağan olmadığı düşünülmüş, çevredeki çiftliklerde tedirginliğe yol açabileceğinden korkulmuştu. Çiftçilerin birçoğu, en küçük bir araştırma yapmaksızın, böyle bir çiftlikte başına buyrukluk ve başıbozukluğun kol gezeceği sanısına kapılmıştı. Hayvan Çiftliği'nde olup bitenlerin, yalnız kendi hayvanlarını değil, çiftliklerinde çalışan insanları da etkileyebileceğini düşünerek tedirgin olmuşlardı. Ama bu tür kuşkuların tümü dağılmıştı artık. Bugün kendisi ve dostları, oraya gelerek Hayvan Çiftliği'nin dört bir yanını gezip incelemişler ve yalnızca en yeni yöntemlerle değil, aynı zamanda bütün çiftçilere örnek olması gereken bir disiplin ve düzenle karşılaşmışlardı. Hayvan Çiftliği'ndeki aşağı kesimlerden hayvanların, ülkenin bütün hayvanlarından daha çok çalışıp daha az yediklerini söylemek herhalde yanlış olmayacaktı. Bugün gerçekten de, kendisi ve dostları, Hayvan Çiftliği'nde öyle şeyler görmüşlerdi ki, bunları kendi çiftliklerinde de hemen uygulamaya koymayı düşünüyorlardı.

Sözlerini, Hayvan Çiftliği ile komşuları arasında var olan ve sürmesi gereken dostluk duygularını bir kez daha vurgulayarak bitirmek istiyordu. Domuzlar ile insan-

lar arasında en küçük bir çıkar çatışması yoktu, olması için bir neden de göremiyordu. Verdikleri uğraşlar da, karşılaştıkları güçlükler de birdi. İşçi sorunu her yerde aynı değil miydi? Bay Pilkington, tam önceden hazırladığı anlaşılan zekice bir espri yapacaktı ki, gülmesini tutamayınca konuşmasını kesmek zorunda kaldı. Tombul yanakları mosmor kesilinceye kadar kahkahalar attıktan sonra, espriyi patlattı: "Sizler aşağı kesimlerden hayvanlarınızla uğraşmak zorundaysanız," dedi, "bizler de bizim aşağı sınıflardan insanlarımızla uğraşmak zorundayız!" Espri, masayı kahkahayı boğdu. Bay Pilkington, Hayvan Çiftliği'nde tayınları düşük tuttukları, iş saatlerinin her yerdekinden daha fazla olmasını sağladıkları ve hayvanları aşırı bolluğa boğarak şımartmadıkları için domuzları bir kez daha kutlamaktan kendini alamadı.

En sonunda, herkesi ayağa kalkmaya ve bardaklarını doldurmaya davet eden Bay Pilkington, "Haydi, beyler!" dedi. "Şerefe! Hayvan Çiftliği'nin şerefine!"

Herkes coşkuyla bağırıp çağırıyor, ayaklarını yere vuruyordu. Napoleon, o kadar keyiflenmişti ki, yerinden kalkıp masayı dolandı, Bay Pilkington'la bardak tokuşturduktan sonra birasını bir dikişte bitirdi. Bağırıp çağırmalar dinince, hâlâ ayakta olan Napoleon, kendisinin de birkaç sözü olduğunu belirtti.

Her zaman olduğu gibi, kısa ve öz konuştu. Anlaşmazlık dönemi sona erdiği için kendisi de çok mutluydu. Uzun bir süre, kendisinin ve arkadaşlarının tutum ve davranışlarının yıkıcı, dahası devrimci olduğu yolunda söylentiler dolaşmıştı. Bu dedikodular, kötü yürekli düşmanlarından biri tarafından çıkartılmış olsa gerekti. Komşu çiftliklerdeki hayvanları ayaklanmaya kışkırttıkları söylenmişti. Yalanın böylesi görülmemişti doğrusu! Oysa, onların tek isteği, her zaman komşularıyla barış içinde yaşamak, iş ilişkilerini düzgün bir biçimde sürdürmek olmuştu. Yönetmekten onur duyduğu bu çiftlik, bir kooperatif girişimiydi. Elindeki tapu senetlerinin ortak sahipleri domuzlardı.

Gerçi eski kuşkuların hâlâ sürdüğüne asla inanmıyordu, ama gene de son zamanlarda çiftliğin işleyişinde kendilerine duyulan güveni daha da artıracak bazı değişikliklere gidildiğini belirtmekte yarar görüyordu. Bugüne kadar, çiftlikteki hayvanlar arasında, birbirlerine "Yoldaş" demek gibi salakça bir alışkanlık söz konusuydu. Bu alışkanlığa son verilecekti. Nereden kaynaklandığını bilmedikleri tuhaf bir alışkanlık da, her pazar sabahı, bahçedeki kütüğe takılı domuz kafasının önünden tören yürüyüşüyle geçmeleriydi. Bu alışkanlığa da son verilecekti. Domuz kafasını toprağa gömmüşlerdi bile. Konuklar, gönderde dalgalanan yeşil bayrağa dikkatle bakmışlarsa bayrağın üzerindeki beyaz toynak ve boynuzun kaldırılmış olduğunu fark etmiş olmalıydılar. Bundan böyle, bayrak, düz yeşil olacaktı.

Yalnız, Bay Pilkington'ın dostluk duygularıyla dolu, olağanüstü konuşmasında küçük bir düzeltme yapmak istiyordu. Bay Pilkington, konuşması boyunca, çiftliklerinden "Hayvan Çiftliği" diye söz etmişti. Hiç kuşku yok ki, "Hayvan Çiftliği" adının kaldırıldığını bilmesi olanaksızdı, çünkü bunu şimdi orada ilk kez açıklıyordu. Çiftlik bundan böyle yeniden asıl adıyla, "Beylik Çiftlik" adıyla bilinecekti.

Napoleon, sözlerini bitirirken, "Beyler," dedi. "Bir kez daha şerefe kaldıracağız bardaklarımızı, ama bu kez Hayvan Çiftliği'nin şerefine değil! Bardaklarınızı ağzına kadar doldurun. Haydi bakalım, beyler: Beylik Çiftlik'in şerefine!"

Gene yürekten bir coşkuyla, "Şerefe!" diye haykırdılar; biralar bir dikişte bitirildi. Ne ki, dışarıdaki hayvanlar bu sahneyi seyrederlerken, bir tuhaflık sezinledi-

ler. Domuzların yüzlerinde değişen bir şey vardı, ama neydi? Clover'ın yaşlı donuk bakışları, yüzler üzerinde bir bir geziniyordu. Domuzlardan bazılarının çeneleri beş kat, bazılarının dört kat, bazılarının da üç kat olmuştu. Ama eriyip değişmekte olan şey neydi? Biraz sonra haykırışlar kesildi, masadakiler kâğıtlarını alıp yarım kalan oyunlarına yeniden başladılar; hayvanlar da sessizce uzaklaştılar oradan.

Daha yirmi otuz metre kadar uzaklaşmışlardı ki, oldukları yerde kalakaldılar. Çiftlik evinde bir gürültüdür kopmuştu. Geri dönüp hızla eve koştular ve pencereden içeri baktılar. Evde korkunç bir kavga patlak vermişti: bağırıp çağırmalar, masaya vurmalar, kuşkulu sert bakışlar, küfür kıyamet... Anlaşıldığı kadarıyla kavganın nedeni, Napoleon ile Bay Pilkington'ın aynı elde maça ası çıkarmış olmalarıydı.

İçeride on ikisi de öfkeyle bağırıyor, on ikisi de birbirine benziyordu. Artık domuzların yüzlerine ne olduğu anlaşılmıştı. Dışarıdaki hayvanlar, bir domuzların yüzlerine, bir insanların yüzlerine bakıyor; ama onları birbirlerinden ayırt edemiyorlardı.

Kasım 1943-Şubat 1944

Ürkünç Bir 'Peri Masalı'

Bütün kitaplar eşittir;
ama bazı kitaplar
öbürlerinden daha eşittir.

George Orwell adı, aklıma hep iki öykü düşürür; biri Adolf Hitler'le, öbürü Josef Stalin'le ilgili iki öykü. İlkinde, Orwell, II. Dünya Savaşı'nın başlarında, BBC'de radyo izlenceleri hazırlamaktadır. Cumhuriyetçiler'in safında savaşıp yaralandığı İspanya İç Savaşı'nı; İngiltere'ye döndükten sonra kaleme aldığı, bence en iyi yapıtlarından biri sayılması gereken *Katalonya'ya Selam*'ı; sanatoryumda verem tedavisi gördüğü günleri ardında bırakmıştır. Sağlığının bozukluğu yüzünden askere alınmamış, kapağı BBC'ye atmıştır. Alman uçaklarının, Londra üzerine yağmur gibi bomba indirdiği günlerdir. Eric Arthur Blair ya da kalem adıyla George Orwell, işte tam o günlerde, tüm Avrupa ve Amerika'nın kulak kesildiği BBC radyosunda, Hitler'i konu eden bir izlence sunar. Ne var ki, izlence boyunca, Hitler'in düşüncelerini örneklemek amacıyla *Kavgam*'dan alıntılara yer verildiğinden, kitabın yazarına telif ücreti ödemek gerekiyordur! Oysa, İngiltere ile Almanya savaşmakta oldukları için, iki ülke arasındaki diplomatik ve tecimsel ilişkiler kesiktir. Parayı ödemeye kararlı olan BBC yöneticileri, günlerce bir çözüm ararlar ve sonunda bulurlar: Hitler'in telif ücreti, Norveç hükümeti aracılığıyla ödenir! Bu öykü, bana hep, çok "İngilizce" gelmiştir...

Orwell'in, *Hayvan Çiftliği*'nin metninde son anda yaptığı "küçük" bir değişiklik, BBC'nin yukarıda aktarmaya çalıştığım

"İngilizce" yaklaşımını bütünler niteliktedir: 1945 Martı'nda *Observer* ve *Manchester Evening News* gazetelerinin savaş muhabiri olarak Paris'te bulunan Orwell, orada Josef Çapski adında bir Rus'la tanışır. Çapski, Sovyetler Birliği'ndeki bir çalışma kampından ve Katin Kıyımı'ndan kurtulmuş, Paris'e gelmiştir. Orwell'in Arthur Koestler'e yazdığı bir mektupta anlattıklarına bakılırsa Çapski, ülkesinde yaşadığı onca acıya ve Sovyet yönetimine karşı olmasına karşın, Rusya' yı Alman boyunduruğundan "Stalin'in kişiliğinin ve büyüklüğünün" kurtardığını söyler: "Almanlar, Moskova'yı ele geçirmek üzereyken Stalin kentte kaldı. Moskova'yı onun gözü pekliği kurtardı..."

Hayvan Çiftliği'nde, gerçek kişiliklerle koşutluklar açık seçik olmamakla birlikte, Stalin'i çağrıştıran Napoleon adlı domuzu yerden yere vuran Orwell, Çapski'nin açıklamalarını dinledikten sonra, bir değişiklik yapmaya karar verir ve kısa bir süre önce kitabını teslim ettiği yayıncısını arar: Hayvanların, Bay Jones'u devirerek devrim yaptıkları çiftlik, kitabın sekizinci bölümünde, komşu çiftlikten insanların saldırısına uğramış, bu saldırı karşısında tüm hayvanlar korkuya kapılmıştır. İnsanlar, çiftlikteki hayvanların özveriyle yaptıkları değirmeni kulakları sağır eden bir gümbürtüyle havaya uçurmuşlardır: "Güvercinler uçuştular, *Napoleon da dahil* bütün hayvanlar kendilerini karınüstü yere atıp yüzlerini kapadılar..." Orwell, Çapski'nin söyledikleri ışığında bu tümceyi şöyle değiştirir: "Güvercinler havaya uçuştular, *Napoleon dışında* bütün hayvanlar kendilerini karınüstü yere atıp yüzlerini kapattılar..." Orwell, bu "küçük" değişikliği, bir mektubunda şöyle açıklayacaktır: "Böylelikle, Alman saldırısı sırasında Moskova'dan ayrılmayan Stalin'e haksızlık etmemiş oldum..."

Erdal Öz ve İlknur Özdemir, Orwell'in *Hayvan Çiftliği*'ni Can Yayınları için çevirmemi istediklerinde de, ilkin bu iki öykü geçti aklımdan. Sonra, uzun yıllar önce okumuş olduğum bu "peri masalı"nı yeniden okumam, bir de *Hayvan Çiftliği*'nin bugüne değin yapılmış çevirilerini gözden geçirmem gerektiğini düşündüm. Ama, ilkin, George Orwell'in, İngiliz solunun bu çok tartışılmış kişiliğinin, 1903'ten 1950'ye yalnızca kırk yedi yıl sürmüş hayat serüvenini anımsamalıydım.

Orwell, yirminci yüzyılın ilk yarısında sıkça rastlanan bir İngiliz aydın tipinin özelliklerini taşıyordu. Hindistan'da görevli İngiliz bir baba ile bugün Myanmar adını almış olan Burma'da yaşayan Fransız kökenli bir annenin oğluydu. Bengal'in Montihari kentinde doğmuş; aşağı-orta sınıftan gelmesine karşın, soylu bir ortamda büyütülmüş; sekiz yaşında ailesiyle birlikte İngiltere'ye dönünce önce yatılı bir hazırlık okulunda, sonra da ülkenin en büyük özel okulu ve en seçkin öğretim kurumlarından biri olan Eton College'de okumuştu. Eton College'da, hiçbir bireyin bilimsel denetim ve koşullanmadan kaçamadığı, gelecekteki bir dünyayı anlatan *Cesur Yeni Dünya*'nın yazarı Aldous Huxley'den ders görmüştü.

Orwell, okul günlerinin ardından, aile geleneğini sürdürerek Burma'ya gitmiş, Hindistan İmparatorluk Polisi'nde bölge müfettiş yardımcısı olmuştur. Yazarlık sancıları çektiği o günlerde, İngilizlerin Burmalıları zor yoluyla yönettiklerinin ayırdına vararak sömürge polisliği yapmaktan utanmaya başlamış; tepkilerini, sonradan, *Burma Günleri* (1934) adlı romanında ve özyaşamöyküsel nitelikler taşıyan birkaç denemesinde dile getirmiştir. Ama daha önce, İmparatorluk Polisi'nden ayrılarak Burma'ya bir daha geri dönmemek üzere terk etmiş; Burmalılarla arasındaki ırk ve kast ayrımından duyduğu suçluluğu, Avrupa'nın toplum dışına itilmiş, yoksul insanları arasına karışarak gidermeye yönelmiş; Londra'da, Doğu Yakası'nda işçiler ve dilenciler arasında yaşadıktan sonra, bir süre Paris otel ve lokantalarında bulaşıkçılık yapmış; gerçek olayları romansı bir anlatımla bir araya getirdiği *Paris ve Londra'da Beş Parasız* gövdesini bütün bu yaşadıklarından oluşturmuş; kitabın 1933 yılında yayımlanmasıyla, edebiyat dünyasına ilk adımını atmıştır.

Orwell'in, emperyalizme karşı tutumundaki bu kökten değişikliğin, yalnızca kentsoylu yaşam biçiminden uzaklaşmasına değil, siyasal yaklaşımını değiştirmesine yol açtığı söylenir. Burma dönüşünde kendini anarşist sayar olmuş, 1930'lu yıllara gelindiğinde de kendini sosyalist olarak görmeye başlamıştır. Bu dönemde yazdığı ilk kitabı *Wigan İskelesi Yolu*'nun (1937) başlarında, İngiltere'nin kuzeyindeki yoksul madencilerin yaşayışına ilişkin gözlemlerini anlatır; ama yapıtın sonlarına doğru, o günlerin sosyalist hareketlerine keskin eleştiriler yöneltmekten geri kalmaz.

Wigan İskelesi Yolu baskıya girdiğinde, savaş muhabiri olarak İspanya'da bulunan Orwell, çok geçmeden cumhuriyetçi milislere katılır; Teruel cephesinde ağır yaralanır, teğmen rütbesine yükseltilir. İşte tam o sıralar, İspanya'daki Halk Cephesi saflarında, yalnızca Orwell gibileri değil, faşizme karşı savaşımın yazgısını da derinden etkileyecek olaylar yaşanacaktır. Orwell gibi, Franco'nun faşist güçlerine karşı savaşmaya gelmiş insanların, Mayıs 1937'de, Cephe içindeki siyasal karşıtlarını bastırmaya kalkışan komünistlerle çarpışmak zorunda kalmaları, Avrupa solunun tartışma gündeminden uzun yıllar düşmeyecektir. İspanya İç Savaşı'nda, Stalinci olmayan solun, Sovyetler Birliği yanlısı "yoldaşlar"ının ihanetine uğraması, Orwell'in Stalinciliğe duyduğu nefretin odağını oluşturacaktır. Onun, Sovyetler Birliği'ndeki sosyalizmden soğumasının tohumları, bu olaylar sırasında atılmış olsa gerektir. Tepkilerini, ertesi yıl kaleme alacağı *Katalonya'ya Selam*'da dışa vuracaktır.

Orwell, İkinci Dünya Savaşı yıllarında, BBC'deki görevinden ayrıldıktan sonra, İşçi Partisi'nin sol kanadına önderlik eden Aneurin Bevan'ın yayımladığı *Tribune* adlı sosyalist gazetenin edebiyat sayfası yöneticiliğini üstlenmiş; bu dönemde, İşçi Partisi'nin savunduğundan çok farklı sayılabilecek özgürlükçü ve merkeziyetçilik karşıtı bir sosyalizm savunusu ile yurtseverlik duygularını bütünleştiren *Aslan ve Unicorn* gibi kitaplar yazmıştır.

1945 yılında, İkinci Dünya Savaşı'nın sona erdiği, Batı dünyası ile Sovyetler Birliği arasındaki temeli zaten çürük bağlaşmanın çatırdamaya yüz tuttuğu, Soğuk Savaş'ın kendini gösterdiği günlerde yayımlanmış olan *Hayvan Çiftliği*'ni, yıllar sonra yeniden okudum. Orwell'in, Londra'da verem tedavisi gördüğü bir hastanede ölmesinden bir yıl önce, 1949'da yayımlanmış olan *Bin Dokuz Yüz Seksen Dört*'ü de...

Özellikle *Hayvan Çiftliği*'nin, Soğuk Savaş'ın ilkel ve kaba propaganda yöntemlerine kurban edildiğini söylemek yanlış olmasa gerek. *Hayvan Çiftliği*, o yıllarda, dahası Avrupa'dan çok ABD'de, gençleri "komünizm tehlikesi"ne karşı uyarmak amacıyla liselerin okuma izlencelerine alınmış. *Hayvan Çiftliği* ile birlikte *Bin Dokuz Yüz Seksen Dört*, "nedamet getirmiş bir komünistin, bütün dünyayı devrimin kaçınılmaz sonuçlarına karşı uyarmak için kaleme aldığı yapıtlar" olarak, birer Soğuk Savaş silahına dönüştürülmüş. Solun bazı kesimleri, Orwell'i "karşıdevrimci" ilan etmiş; sağın kimi kesimleri de, *Hayvan*

148

Çiftliği ve *Bin Dokuz Yüz Seksen Dört*'ü, komünizme yöneltilmiş en güçlü yazınsal eleştiriler arasında saymışlar.

Oysa, bugün okuduğumda, bir çiftlikte yaşayan hayvanların kendilerini ezen ve sömüren insanların yönetimini devirip eşitlikçi bir toplum oluşturdukları; ama zamanla, kurnaz ve iktidar düşkünü domuzların, devrimi yolundan saptırarak, insanların yönetiminden nerdeyse daha baskıcı ve acımasız bir diktatörlük kurdukları *Hayvan Çiftliği*'nin iki uçlu bir yergi mızrağı taşıdığını düşünüyorum. George Orwell'in, 1930'lar ve 1940'ların Sovyetler Birliği'ne yönelttiği taşlamanın özünde, yaklaşık yarım yüzyıl sonra çöküntüye uğrayacak olan sosyalist uygulamanın bağrında yatan düşkünlüklerin bulunduğu kanısındayım. Ama Orwell'in, hayvanlar tarafından yönetilen çiftliği yıkmaya çalışan "dış dünya"ya, daha somut bir deyişle öteki çiftliklerin sahibi olan insanlara yönelttiği eleştirileri de göz ardı etmemek gerekir. Açıkçası, Orwell'in, Batı'nın siyasal düzenlerini savunduğunu söylemek çok zordur. Kimi yorumcular, *Hayvan Çiftliği*'nin yönetimini ele geçiren domuzlarla işbirliği yapan, tecimsel ilişkiler kuran iki "insan"dan, Foxwood Çiftliği'nin sahibi Bay Pilkington'ın kapitalist İngiltere'yi, Pinchfield Çiftliği'nin sahibi Bay Frederick'in de Nazi Almanyası'nı temsil ettiğini bile söylemişlerdir. Bu yorum biraz zorlama gibi görünse de, Orwell'in, tüm yapıtını, çiftliklerdeki 'insan düzeni'nin, yani kapitalizmin değiştirilmesi gerçeğinden yola çıkarak kurguladığı açıktır. Kitabın sonunda sunulan, insanlar ile domuzların aynı masanın çevresinde zaferlerini kutladıkları sahne, dünya yazınının en çarpıcı sahnelerinden biridir:

Artık *Hayvan Çiftliği*'nde yılgı ve korku kol gezmektedir. Kitabın başlarında "Bütün hayvanlar eşittir" diyen Koca Reis'in bu sözü garip bir değişikliğe uğramıştır: "Bütün hayvanlar eşittir; ama bazı hayvanlar öbürlerinden daha eşittir." Bir baskı biçiminin yerini, başka bir baskı biçimi almıştır. Hayvanların eski efendileri insanlar ile yeni efendileri domuzlar, Çiftlik Evi'nde, bir şölen sofrasının başında toplanmışlardır. Çiftliğin ezilen hayvanları, korka korka Çiftlik Evi'ne yaklaşır, yüzlerini cama dayayarak içeride olup biteni izlemeye koyulurlar: Tombul yanakları attığı kahkahalardan mosmor kesilen Bay Pilkington, kadehini zafere kaldırır ve "espri"yi patlatır: "Siz aşağı kesimlerden hayvanlarınızla uğraşmak zorundasınız; biz de bizim aşağı sınıflarımızla uğraşmak zorundayız!" Dışarıdaki hayvanlar, tam o sırada, içeridekilerin yüzlerinde bir tuhaflık sezerler. İnsanlar ile domuzları birbirlerinden ayırt edememektedirler. İnsanlar domuzlara, domuzlar insanlara dönüşmüştür...

Hayvan Çiftliği'nin daha önce yapılmış çevirilerini araştırdığımda, iki farklı çeviriye ulaştım. Biri, *Hayvanlar Çiftliği* adıyla İnkılâp'tan yayımlanmış. Atlamalar, yanlışlar ve Türkçe bozukluklarıyla dolu olan bu çeviri, eleştirilmeyi bile hak etmiyor. Yıllar önce, 1954'te Maarif Vekâleti'nin Dünya Edebiyatından Tercümeler dizisinden yayımlanmış olan *Hayvan Çiftliği*'nin çevirisi ise Halide Edib Adıvar imzası taşıyor. *Ateşten Gömlek*'in, *Vurun Kahpeye*'nin, *Sinekli Bakkal*'ın yazarının akıcı kalemiyle çevrilmiş.

Halide Edib de, çeviriye yazdığı önsözde, kitabın son sahnesinin üzerinde duruyor ve Orwell'in yansız yaklaşımını vurguluyor:

"Orwell, bilerek bilmeyerek, herhangi bir idarenin, nizam ve kanundan ayrılınca nasıl bir afete yakalanacağını resmetmiştir. Bilhassa, çiftlik memurlarının hayvanların yem saatini unuttukları gün ihtilalin patlaması, üzerinde düşünülecek bir noktadır. İkinci bariz nokta ise, Orwell'in, bir taraftan komünist rejimin kudretli bir karikatürünü çizerken, diğer taraftan bunu, komünist olmayan rejimlerin bir propagandası haline sokmamış olmasıdır. Son sahne en kudretli parçasıdır. (...) İki tarafın başındakilerin de müşterek iptilalara, za'flara[zaaf] ve rezilletlere müptela oldukları aşikârdır. O kadar ki, bunları, çiftlik avlusundan gözetleyen sürü, hangisinin hangi rejimi temsil ettiğini dahi fark edemiyor. (...) İki taraf da kudretini, kendi kafa ve kuvvetinden ziyade, korumak veya kapmak istedikleri yavrulara borçludur. Fakat yavrular, kendi kuvvetlerinden haberdar değildirler..."

Kendi yazgısını elinde tutamayan, kendini yönetenleri sorgulamayı aklından bile geçirmeyen araba beygiri Boxer, "kendi kuvvetlerinden haberdar olmayan yavrular"ın en çarpıcı örneğidir. "Daha erken kalkacağım, daha çok çalışacağım... Napoleon her zaman haklıdır!" demekten asla vazgeçmez. Ama sonunda, hastalanıp ıskartaya çıkarıldığında, at kasabını boylamaktan kurtulamaz. Kendisini ölüme taşıyan arabanın içinde, kapıya attığı umarsız çifteler, tüm hayvanların yitip giden umutlarını da yankılandırır. Özgürlüklerini savunamayanların ödedikleri bedel ağırdır. Özgürlük, değerli olduğu ölçüde kırılgandır da...

Hayvan Çiftliği'nin, bazı basımları ve çevirilerinde yer verilmemiş olan altbaşlığı "Bir Peri Masalı"dır. Belki de, kimi yayıncılar, yapıtın bir çocuk kitabı olarak algılanmasından çekindikleri için, Bir Peri Masalı demekten kaçınmışlardır. Oysa bu altbaşlık, bir masal duruluğunda yazılmış olan kitabın, yergi geleneğindeki yerini vurgulamaktadır biraz da. Hayvan Çiftliği, sırtını, Jonathan Swift'ten Aldous Huxley'ye uzanan İngiliz yergi yazınının sağlam geleneğine yaslamıştır.

Evet, Hayvan Çiftliği, korkunç sonla biten bir "peri masalı"dır.

CELÂL ÜSTER
Aralık 2000